LA VIOLENCIA ESTÁ EN CASA

Agresión doméstica

DR. ERNESTO LAMMOGLIA

LA VIOLENCIA ESTÁ EN CASA

Agresión doméstica

grijalbo

LA VIOLENCIA ESTÁ EN CASA
Agresión doméstica

© 2002, Ernesto Lammoglia

D.R. © 2002 por EDITORIAL GRIJALBO, S.A. de C.V.
    (Grijalbo Mondadori)
    Homero núm. 544,
    Chapultepec Morales, 11570
    Miguel Hidalgo, México, D.F.

www.grijalbo.com.mx

ISBN 970-05-1511-7

IMPRESO EN MÉXICO

Dijo Caín a Abel, su hermano:
"Vamos al campo".
Y cuando estuvieron en el campo,
se alzó Caín contra Abel, su hermano,
y le mató.

GÉNESIS 4:8

A mis maestros
Dr. Alfonso Quiroz Cuarón †
Dr. Gilberto Bolaños Cacho †
Dr. Guillermo Calderón Narváez
Dr. Héctor Miguel Cabildo y Arellano

A los grupos de autoayuda
Corriente 24 Horas de Alcohólicos Anónimos
Neuróticos Anónimos 24 Horas "Buena Voluntad"
Comedores Compulsivos Anónimos
Codependientes Anónimos

A los grupos
Colectivo para Relaciones Igualitarias A.C.
(Coriac, A.C.)
Adictos a Relaciones Destructivas
Centro de Ayuda Psicológica para Mamás

A
Comisión de Derechos Humanos del D.F.
CIAM
CAVI
ADIVAC
El grupo de la facultad de psicología de la UNAM
(PAIVSAS)

Índice

Agradecimientos

Quisiera agradecer a todos y cada uno de nuestros radioescuchas que, durante todos estos años, nos han enriquecido con sus llamadas telefónicas y comparténdo sus testimonios de vida. A los lectores de mis libros anteriores por sus comentarios y críticas valiosas.

A mis pacientes y todas las personas que colaboraron con sus historias agradezco su valor al regalarnos sus experiencias personales.

Al doctor Jorge R. Pérez Espinosa, fundador del Centro de Ayuda Psicológica para mamás por su tiempo y valiosa aportación a este libro y a la sociedad.

Un agradecimiento especial para la psicóloga Ana Latapí Sarre y a la técnico gericulturista Marilú García Hernández que nos enriquecieron con su experiencia personal hablando por aquellos que están imposibilitados para demandar sus derechos.

A Aurora González Azuara, Patricia Kelly, Juan Latapí Ortega, Martita Avendaño, y todo el equipo de organización

Radio Fórmula por su apreciable colaboración, principalmente a nuestro productor y jefe Enrique González y a Carlos Jaime y Karina Moreno sin quienes no hubiese sido posible la selección radiofónica de cada caso transmitido al aire.

Para Don Rogelio y Don Jaime Azcárraga, presidente y vicepresidente ejecutivo de O.R.F. por su confianza y su amistad, entusiasmo y apoyo irrestricto para nuestro trabajo radiofónico y con especial afecto al Lic. Gabriel Núñez, vicepresidente ejecutivo de la organización quien ha sido el conducto y mediador de todo aquello que hubo necesidad de corregir, mejorar o adecuar de nuestro equipo, con el área operativa o con la dirección de la presidencia de la Radiodifusora; a Don Humberto Cantú por su apoyo incondicional y su trato gentil.

Una mención especial merece, así como toda mi gratitud, respeto y admiración Concepción Latapí Ortega, sin cuyo trabajo en la compilación, grabación, obtención de testimonios no radiofónicos y redacción de esta pequeña obra poco hubiera podido hacer.

Introducción

Quienes crecimos en una familia tradicional que, hasta cierto punto y a la distancia, se podría considerar como funcional, y quienes tuvimos el privilegio de sentirnos y sabernos queridos por nuestros padres y otros adultos mayores que completaban la familia nuclear de hace cincuenta años o más, difícilmente tuvimos acceso, orientación, información o sugerencias que nos hablaran de lo que era y lo que es la violencia. Ignorábamos entonces, y hasta muchos años después, que algunas de las sanciones, castigos o incluso la costumbre de escuchar por la tarde o la noche los cuentos de terror de las tías abuelas, pudieron haber constituido alguna forma de agresión a nuestra inocencia.

Jamás, en aquellos días, pudimos suponer que para millones de niños, la mayor y más frecuente de las violencias verbales era decirnos y sentenciarnos cotidianamente con la frase lapidaria: "Te va a castigar Dios". Ignorábamos que la imposición de una filosofía religiosa de amor, que operaba basándose en dicotomías como el pecado y el castigo, la culpa y el perdón, iba a ir determinando en nuestra mente de niños fantasías sin fin, como el terrible pensamiento de condenarnos y morir en las llamas del infierno.

Las sabias advertencias como: "No salgas porque te puede pasar algo", o el temor para deambular sólo por las calles, a hablar con desconocidos o a ser víctima de un "robachicos", formaron parte del terrorismo verbal que hoy ha desaparecido para ser sustituido por las amenazas de secuestro, violaciones y otros castigos divinos, e incluso la sentencia fatal de llegar a ser presidente de la república cuando sea uno grande.

Para aquellos niños, la existencia del "coco", los duendes, los chaneques y, desde luego, del diablo, con todas sus personalidades, disfraces o facetas, formaba parte del terrorismo con el que fuimos mal educados. No existía la televisión. La radio y el cine eran privilegio de muy pocos; por lo tanto, nuestros antihéroes oscilaban, según la ideología familiar, entre Benito Juárez, los carrancistas, los zapatistas, los nazis y, en los cincuenta, los comunistas. La bomba atómica era la peor expectativa y muchos se consideraban a sí mismos presos en algún campo de concentración o, acaso más ligeramente, viviendo en un internado, en una escuela militarizada, en el Colegio Militar o en la Escuela Naval.

Tocarnos los genitales o el sexo era un pecado que nos iba a conducir inexorablemente a la locura, a la demencia y al infierno. Mentir y ser desobedientes eran causa de sanciones y de gravísimos sentimientos de culpa. Odiar o resentirse con el padre o la madre, que nos acababa de proporcionar una buena tunda de cinturonazos por el terrible pecado de salir mal en la escuela, era castigado con un insomnio pertinaz que duraba a veces tres días.

Hablar en la mesa, no saludar con respeto o reverencia al abuelo enojón o a la tía con aspecto de águila arpía, también era cuestionado severamente. Había que ser muy bien portado, educado y de buenas maneras. Debíamos creer que México era el cuerno de la abundancia y que todo lo hecho en México estaba bien hecho.

Los sacerdotes no tenían amantes o "amiguitas", eran siempre sus "sobrinas". Y la Virgen de Guadalupe y la bandera tricolor debían ser nuestros símbolos patrios por antonomasia. Los papás siempre tenían la razón y no se discutía con ellos. Los maestros decían la verdad y las madres eran santas; las hermanas y las primas eran intocables, y los juegos presexuales inadmisibles. No hacer el servicio militar era ser un pésimo ciudadano.

En todo esto había, y hay, una invisible red que envuelve a los niños disfrazando los pequeños actos violentos que, con el tiempo, se van convirtiendo en síntomas de una equívoca manera de mostrar el control, la autoridad, la imposición y el dominio emocional y moral sobre los demás. Los muy aislados niños de los años cuarenta creían que la violencia eran los nazis o los japoneses. Después, en los cincuenta, el comunismo o los obreros revolucionarios, alguno que otro homicida famoso que lograba llegar por su fama a nuestros oídos y alguno que otro muchacho peleonero convertido en el azote de los niños del salón.

Todo lo malo parecía estar entonces allá afuera, en otra parte, en otro país, en otra familia o en lo más recóndito de la mente infantil que lo llamaba pecado y, como la ropa sucia se lavaba en casa, nunca pudimos percibir qué tanto o qué tan poco fue violenta nuestra dinámica familiar. Lo malo era siempre lo de los demás.

Todavía a los nueve años de edad, en que me tocó presenciar un homicidio, la violencia era social, era de los malos y yo, por supuesto, era de los buenos y, claro, mi familia también. Las buenas personas, las buenas conciencias, los buenos ciudadanos eran todos los que yo conocía, con un razonamiento difícil de comprender.

Para una mente que no tenía la capacidad de advertir en su conducta, sus acciones o sus pensamientos el menor asomo de maldad o de agresión, como yo, millones de niños estábamos equivocados. La "familia feliz" que tuvimos la necesidad de inventar nunca existió como tal. Con el tiempo fueron apareciendo las verdades, el abuelo que no se casó con la abuela y tuvo otras mujeres y otros hijos, y que no era tan recto como lo parecía al caminar; las tías que se habían hecho ricas a través de la avaricia con que manejaron sus ingresos como modistas de los burdeles caros de Orizaba; el padre que seguía el ejemplo fiel del abuelo promiscuo, o la ultra religiosidad hipócrita y castrante de quienes intentaron educarme.

Las frases: "Cállate niño, los niños no opinan", "Sálganse porque esto es una conversación de adultos", "Si quieres sacar un libro del librero, pide permiso", "No te juntes con los hijos de los fabricantes (obreros), no son de tu clase", "No te asolees porque te vas a volver prieto", "Persígnate al salir", "Tienes que vivir en el temor de Dios", "No leas esas porquerías", fueron parte ignorada de lo que no quise o no pude ver.

No tener animales en casa, excepto las gallinas de traspatio, fue una prohibición sistemática. Por eso no advertí que a los 14 años, cuando empezaba a ir de cacería con mis amigos ligeramente mayores, me inundaba una especie de placer morboso cuando mataba un conejo, una zorra o una ardilla. No se me había enseñado a amar a los animales. Al mismo tiempo, mis héroes favoritos, producto de mis lecturas de entonces, eran los conquistadores, los militares, la soldadesca y, cosa muy curiosa, los piratas. Lo mismo el corsario negro que el rojo o el blanco, o el Zandocan de Emilio Salgari, todos sabían matar, asesinar y robar. San Francisco de Asís se convirtió en despreciable por tibio y amoroso, y el Dios de amor, que paradójicamente fue castigador, tuvo que pasar al olvido. Y la violencia seguía afuera según mi joven percepción.

Menospreciaba a los débiles porque detestaba mi propia debilidad. Aspiraba a ser fuerte, a tener autoridad y poder, seguramente porque nunca los tuve. Quería ser militar y acabé odiándolos. La disciplina y el orden en los que decía yo vivir, se los intenté imponer a los demás sin practicarlos realmente en mí. Me convertí en un luchador tenaz, violento, que luchaba por sobresalir y quería luchar con la cabeza. El día de hoy sé que sí luché con la cabeza, pero a topes, no con la razón. Canalicé mi agresión en los deportes, en la política estudiantil, la escritura de panfletos y en creer que en mí se formaba un revolucionario, un progresista y un socialista que sólo disfrazaba, a medias, mi formación tradicional y burguesa.

Empezaba a darme cuenta de mi violencia que, ahora, ya no estaba afuera, estaba en mí. Pero yo la justificaba pensando que iba bien dirigida. Estaba justificada porque los demás eran los malos, los reaccionarios, los poderosos, los apátridas o los yanquis. Fue hasta que nació mi primer hijo que empecé a advertir, sin querer, que si la violencia existía hacia fuera, también existía, aunque de otra forma más sutil, intensa, reprimida y disfrazada, hacia el interior de esa pequeña familia que tan disfuncional fue en un principio.

La primera advertencia real que recuerdo fue en una ocasión en que creí que estaba yo llamando la atención de nuestro hijo Tonatiuh, que tenía entonces tres años, y su madre me dijo: "Detente, ¿que no ves que el niño te tiene miedo?", frase que me pareció impactante e inesperada porque yo decía adorar a mi hijo y me sentía incapaz de hacerle daño. Yo creía, hasta ese instante, que lo que estaba realizando en ese momento era un intento de formarlo o educarlo y que por eso "le llamaba la atención" y que, además (pretexto eterno), lo hacía yo "por su bien". Su mamá continuó diciéndome: "Es que deberías ver los ojos que pone cuando lo regañas. Lo miras con odio. Fíjate cómo un niño de su estatura te ve, como si fueras un gigante amenazador, terrible". Y supe que tenía razón. Me enfrentaba con toda mi cólera e ira reprimidas a un desahogo que tenía como receptor a un pequeño de tres años.

Me asusté porque, hasta ese momento, no podía concebir que pudiera resultar tan hostil y dañino para quien decía querer. No había sido necesario el golpe o alguna otra forma de intimidación física, había bastado con la actitud, un estado de ánimo, una mirada o unas palabras. El niño sabía, seguramente desde entonces, que su padre exaltado e iracundo era capaz de lastimar, de intimidar y seguramente hasta de matar. Por primera vez entendí cabalmente que la violencia no estaba afuera ni en los demás, ni en los malos, ni en los gringos, la violencia estaba nada más en mí, que eso era lo que importaba, que ésa era la que dañaba, que ésa era la que debía conocer para intentar controlarme.

De ese hecho, y del recuerdo de la carita de mi hijo llena de terror y desconcierto, surgió la necesidad de voltear el índice con el que acusaba y señalaba la agresión de los demás y dirigir ese dedo hacia mí para señalar mis propios defectos. Había vivido algo engañado creyendo que era un buen ciudadano, un buen estudiante, un buen hijo y un buen padre hasta ese momento. La mirada de ese niño me convenció entonces de que no era así y que había que cambiar, pero no sabía cómo. Han tenido que pasar casi 35 años para que, ahora que escribo estas líneas, haya podido revisar la violencia de la que fui víctima por muchos de los que me rodearon o quisieron, pero, sobre todo, la violencia que ejercí, sin darme apenas cuenta, tanto en mi hogar como fuera. Fueron receptores lo mismo los ancianos, los adultos jóvenes, los contemporáneos, los menores o los animales; lo mismo la pareja que la trabajadora doméstica, el señor que barre la calle o el propietario de la casa que rentamos; lo mismo los suegros que los padres, los jefes o los subordinados; todos los que se cruzaban en mi camino.

Supe con los años que poseía la habilidad de comunicar mis resentimientos o mi agresión con las palabras, pero descubrí que mi arma más poderosa para ejercer la violencia fue el silencio. Ser un hombre callado, distante, aislado, aislacionista y tímido, ocultó mi mordacidad, mi irreverencia y, en muchos casos, mi irascibilidad. No lo sabía, pero mi soberbia y mi autoengaño habían convertido mis defectos en aparentes virtudes. Aprendí que había dañado más por no tener capacidad para recibir amistad, afecto o amor, que por no ser capaz de amar. Supe que mi actitud general, así como mi gestualidad, pudieron haber sido, no signos de sobriedad o serenidad, sino todo lo contrario. Supe que mi formalidad y mi búsqueda del orden y la disciplina fueron los resabios de una conducta controladora, conservadora y fría más propia de un fascista que de alguien que se decía liberal; y que mi ateísmo a ultranza era una manifestación paradójica de mi necesidad de tener fe en un poder superior a mí mismo.

Supe que agrediéndome, al reprimirme o al controlarme para parecer hombre de bien, había ido acumulando la energía negativa de una violencia que, afortunadamente y gracias a la ayuda de muchos, así como a un trabajo terapéutico de tres décadas, he podido, algunas veces, controlar.

Hoy, los malos ya no están afuera. Hoy sé que los demonios y los enemigos habitan en mí. Del conocimiento y el reconocimiento de los grados de violencia interior dependerá mi capacidad para no ejercerla en el interior de la familia o en el exterior porque, mientras lo ignoré, fui todo aquello que decía combatir. Por eso la intención de este libro es esbozar, con algunos testimonios y algunos consejos teóricos, aquello que desconocemos, que ignoramos o que cubrimos con un manto de silencio y de ceguera.

Los medios de comunicación y la globalización nos han puesto en contacto con la violencia social, las guerras, el terrorismo, la imposición de la política de países hegemónicos contra países más débiles. Un niño mexicano que ve tres horas diarias televisión puede ser testigo visual hasta de 25 homicidios al día en películas, noticieros televisivos y otros programas. Incluso los noticieros radiofónicos, a través de sus helicópteros, nos dicen todos los días dónde hay choques, atropellamientos, secuestros o asesinatos.

La violencia social la reconocemos fácilmente, es más, llegamos a exigir, a veces hasta con nuestro voto, que se detenga y que se trate de abatir. Pugnamos por la seguridad, criticamos la inseguridad y nos ponemos un listoncito blanco para señalar que estamos en contra de la violencia. Pero ¿cuántos de ustedes, como yo, sin saberlo o sabiéndolo, pero pareciendo que lo ignoramos, somos los principales generadores o promotores en nuestra casa, nuestra familia y con nuestros hijos de los verdaderos núcleos de donde emerge la violencia? Recordemos como un axioma, como una verdad que no necesita comprobación, que toda mujer o todo varón que ejerce violencia social en las calles, en la comunidad, en la nación, salió seguramente esa mañana de un hogar o de una familia donde hay inexorablemente violencia doméstica.

Si queremos lograr la utopía de una sociedad más equilibrada, mucho más armónica y más humana, recordemos que la no-violencia empieza por mí, por usted; y que es tan sutil o tan intangible que solamente la podremos reconocer si la conocemos a profundidad.

I. Violencia física y violencia disfrazada

La violencia no solamente es
matar a otro
J. KRISHNAMURTI

De manera silenciosa, la violencia penetra en los hogares para después extenderse a las calles, escuelas, centros de trabajo y otros sitios de convivencia social. Se instala como un cáncer que destruye la intimidad y el potencial humano generando en sus víctimas un estado agónico permanente, produciendo sujetos sin aspiraciones trascendentes, sin espíritu de productividad y creatividad; en pocas palabras, muertos en vida.

Cada día se reciben por lo menos 25 denuncias por maltrato en el seno familiar, sin contar aquellos casos que terminaron en el asesinato de la víctima, ya que éstos se notifican a cualquier agencia del Ministerio Público. Pero los datos y las estadísticas que se puedan obtener no reflejan la realidad. La mayoría de los casos no son denunciados y quedan enterrados en la intimidad de los hogares.

Es hasta después de que las víctimas estuvieron expuestas a un ambiente de violencia por periodos prolongados, que pueden ir de uno a cinco años, cuando algunas se deciden a denunciar los hechos. Lo común es que prefieran callar el hecho.

La violencia doméstica no es nueva, es decir, constituye uno de los principales problemas que han enfrentado los niños desde los albores de la humanidad. A lo largo de la historia hombres, mujeres y niños han padecido las secuelas físicas y psicológicas dejadas por las constantes y continuas manifestaciones de agresión de las que fueron objeto en una época de su vida.

Testimonio de una mujer de 60 años

En mi familia todo se arreglaba a golpes. Mi padre nos maltrataba a todos y mi madre también. Cualquier hecho o sospecha eran motivo suficiente para recibir golpes. Con frecuencia volaban todo tipo de objetos: vasos, adornos, instrumentos de cocina y aquello que estuviera a la mano del ofendido. Cuando se consideraba que el iracundo tenía razón, nadie cuestionaba su derecho de atacar. Eso era lo normal y jamás se intentaba solucionar una diferencia por la vía del diálogo; de hecho, se hablaba poco y se golpeaba mucho. En una ocasión, mi hermano que tenía 13 años descalabró a mi otro hermano de 14 años por una discusión de futbol. Había rivalidad porque le iban a equipos diferentes, y ese día habían empatado. Mi papá no se enojó sino que lo vio como algo lógico y sólo le dijo al mayor que aprendiera a defenderse. En aquellos años el futbol no era tan pasional como ahora y los partidos se escuchaban en la radio.

Yo no fui a la escuela porque se suponía que me casaría y me dedicaría a mi familia, así que aprendí a leer y escribir en mi casa; sólo salía con mi mamá. Como no me relacionaba mucho con el exterior, creía que todas las familias eran como la mía, no sospechaba que pudiera existir un mundo diferente. De chica también aventaba cosas contra la pared porque ya no había nadie debajo de mí. Nunca me casé y ahora vivo con mis hermanos. A los dos les demandaron el divorcio antes de tener hijos por haber enviado a sus mujeres al hospital con lesiones muy graves. Los dos manejan un taxi y muchas veces han sido detenidos por pelearse en la calle. Ahora ya no son tan jóvenes y se conforman con los gritos e insultos. De vez en cuando todavía se ve volar algún objeto en la casa; ya no nos golpeamos, pero seguimos rompiendo cosas pues no podemos evitarlo.

Muchas familias resuelven sus conflictos familiares y personales a través de la violencia física o psicológica, situación que viene a reforzar y prolongar una cultura de violencia con la que se aprende a vivir como algo cotidiano, llegando en ocasiones hasta el homicidio o al suicidio a manera de escape de las situaciones de agresión vividas.

La violencia física sucede en diversas modalidades. Cuando uno piensa que se ha enterado de todas las formas de tortura posibles, siempre surge una nueva. Hay golpes con todo tipo de instrumentos, quemaduras, latigazos, penetraciones vaginales con enseres domésticos, inyecciones, cortaduras y hachazos. La lista es interminable y abominable. Lo que durante años he escuchado en mi consultorio y los testimonios que hemos recibido en el programa de radio son sólo una muestra de lo que a diario ocurre en nuestro país. Por ejemplo: "Mi madre me agarraba de las trenzas y me arrastraba por toda la casa; después, me dejaba encerrada en el patio aunque estuviera lloviendo. Yo le pedía perdón y me decía te perdono, pero ahí te quedas".

La mayoría de los golpeadores trata de dar los porrazos en donde no sean tan evidentes para evadir así la acción de la justicia. Para que no existan testigos procurarán hacerlo a solas; en lugares apartados, sin gente que preste auxilio a su víctima, para propinarle la golpiza que el otro *se merece*, según él, por haberlo provocado.

LLAMADA DE UN JOVEN AL PROGRAMA DE RADIO

Cierto día mi hermano golpeó a mi padre hasta que lo dejó inmóvil. Mi padre es alcohólico; sólo trabaja durante un mes y descansa el resto del año. A causa de esa golpiza mi familia se desintegró. Mi hermano se fue de la de casa por un tiempo y después regresó. Ahora está viviendo en casa de mis padres y no tiene la menor preocupación por trabajar, se hace el desentendido. A mi madre también la golpeó en una ocasión y ahora se quiere adueñar de la casa que con tantos sacrificios hicieron mi madre y mis hermanos. Cuando le reclamé a mi hermano lo que le hizo a mi padre me respondió que se lo merecía, dijo que no se arrepiente de haberlo hecho y que, por él, lo volvería a hacer hasta matarlo.

La violencia que nace en los hogares no se limita a las golpizas y los abusos físicos. Existe otro tipo de violencia subterránea, la violencia sutil que, de igual manera, causa estragos y se refleja en nuestra sociedad.

Casi nadie habla de este tipo de violencia subterránea, sin embargo, el desgaste psicológico de la víctima es devastador. Ataca la identidad de la otra persona privándola gradualmente de toda individualidad. El agresor busca rebajar al otro en un intento por elevar su autoestima sin sentir compasión ni respeto.

Estamos hablando de una verdadera crueldad mental; el deseo de humillar, denigrar y herir a otra persona está probablemente aún más difundido que el sadismo físico. El dolor psíquico puede ser tan intenso como el físico, y aun más. Los padres lo imponen a sus hijos; los hombres a sus esposas, o viceversa; los maestros a sus alumnos, y los superiores a sus inferiores. Esta crueldad se emplea en cualquier situación en la que una persona no es capaz de defenderse del agresor por estar en una posición de inferioridad; en la burocracia podemos ver largas cadenas de este tipo de agresión: el jefe maltrata a su subordinado que, a su vez, humilla al de abajo en la escala burocrática. Muchas instituciones privadas no se salvan de este tipo de violencia, la cual después es trasladada a los hogares.

El sadismo mental puede disfrazarse de diversos modos, en apariencia inofensivos: una pregunta, un sarcasmo, una burla, una sonrisa o una simple observación. El agresor siempre consigue herir a su víctima, y la humillación es más dañina cuando se realiza en presencia de otros.

En su libro *El acoso moral*, Marie-France Hirigoyen llama a este tipo de violencia "manipulación perversa" y la describe como una "conducta malévola capaz de destruir a una persona moral y hasta físicamente". La autora explica que mediante un proceso de maltrato psicológico una persona puede hacer pedazos a otra.

Este tipo de violencia puede ser muy sutil, pero siempre es constante y aniquiladora. Es una manera perversa y malévola en la que se utiliza la manipulación a través de una frialdad nociva que no es ostensible y se expresa a través de un lenguaje no verbal que confunde a la víctima, duda de sí misma y mina lentamente su autoestima.

Existen muchas maneras de ejercer esta violencia indirecta: acciones hostiles evidentes u ocultas; insinuaciones o simplemente algo que no se dice; una actitud distante o indiferente; falta de agradecimiento; frases en las que no importan las palabras sino el tono que se utiliza, o comentarios desestabilizadores disfrazados con un exceso de amabilidad. La víctima es humillada constantemente, lo cual socava su dignidad. El verdugo la pone en evidencia o se burla de ella en público, levanta los ojos al cielo en un gesto desaprobatorio o la bombardea con indirectas y comentarios hirientes.

En las familias, los ataques velados son tan cotidianos que parecen normales. La violencia se mantiene oculta y se lleva a cabo con base en simulaciones. Uno de los integrantes, el agresor, juega el papel de víctima para manipular al otro, logrando que éste se sienta culpable en cualquier situación; después, aparenta otorgar condescendencias que cobrarán un precio muy alto. Son muchas la madres que utilizan este tipo de chantaje con sus hijos usando frases como: "Si yo te importara, harías lo que te pido".

Cotidianamente se llevan a cabo ofensas veladas, como un marido que deja una habitación desordenada para que su mujer la limpie; una esposa que alude con frecuencia al buen sueldo de su cuñado y los lujos que éste le otorga a su hermana, mientras que ella no puede ni estrenar un vestido; una madre que alaba con firmeza las cualidades del hijo de su mejor amiga frente al suyo; o simplemente uno de los miembros toma decisiones que afectan a toda la familia sin consultarla. Muchas veces el agresor descalifica a su cónyuge frente a los hijos, hiriendo así a la familia. Cuando se actúa contra los niños, éstos aprenden a utilizar el mismo tipo de violencia para defenderse y probablemente la reproducirán en la edad adulta.

Esta violencia subterránea desgasta a las familias, destruye los lazos y va aniquilando la individualidad sin que la víctima se percate. Puede manifestarse como un clima incestuoso en el que no hay una seducción directa, sino que se expresa con ciertas miradas, insinuaciones, roces o "muestras de cariño" y exhibicionismos casuales o justificados bajo argumentos de "modernidad" o "naturalidad".

Lentamente, y esto puede tomar años, el agresor va desestabilizando a su víctima, quien va perdiendo la confianza en sí misma, hasta que la domina manteniéndola en un estado de sumisión y dependencia en el que conserva el poder y el control. Conserva a su víctima en un estado de estrés permanente que la bloquea y le impide reaccionar. Se entra en un círculo vicioso en donde el agresor enmascara sus debilidades para colocarse en una posición de superioridad; arremete contra su víctima, quien reacciona con miedo, y éste provoca, de nuevo, la ira del agresor.

Con frecuencia, el agresor hace añicos la autoestima de su víctima en el hogar, pero finge ser formidable frente a los demás. Esta violencia no se ve en la superficie, no hay pruebas tangibles que puedan llevarse ante un juez. En su lentitud devastadora, la víctima cae en un estado de depresión permanente y pierde la alegría de vivir porque está siendo destruida por otro.

El agresor necesita de alguien a quien rebajar. Busca, con esto, elevar su autoestima y adquirir poder; en el fondo, su autoestima es bajísima y tiene una gran sensación de impotencia. Siente una enorme necesidad de admiración y aprobación e intenta conseguirlos aunque sea por la fuerza. Estamos hablando de una persona perversa que no siente compasión ni respeto por nadie pues jamás reconoce el sufrimiento que inflige. La perversión le fascina y es incapaz de considerar a los otros como seres humanos. Es un individuo enfermo, sádico y narcisista, que definitivamente es nocivo y peligroso. Nunca acepta la responsabilidad de los problemas de sus acciones perversas. Invierte los papeles y culpa al otro, quien tendrá que cargar con la responsabilidad por completo; después se aprovecha de la culpabilidad de su víctima para descalificarla. Se burla ante cualquier protesta y la minimiza: "Te ahogas en un vaso de agua", "Ya vas a empezar con tu drama", "No hagas una tragedia de nada", "No me vayas a hacer una escenita". Ridiculiza cualquier emoción que el otro exprese y está convencido de que él siempre tiene la razón.

Lo primero que hace un perverso es paralizar a su víctima. Luego la enreda y confunde consiguiendo que ésta perciba la agresión, pero sin estar segura. Siempre busca desestabilizar al otro y hacerle dudar de sí mismo. No hace reproches directos, pero va soltando insinuaciones, gestos y miradas hostiles. Si el otro quiere que aclare su intención, le responde en un tono glacial con frases como: "Todo quieres tomarlo como agresión", "Estás paranoica". Poco a poco aleja a su víctima de aquellas personas que podrían ayudarla. Se las arregla para que no frecuente a familiares y amigos. Su objetivo es aislarla socialmente para ir disminuyendo la posibilidad de generar redes de apoyo familiar ante la violencia que se vive. Es un tirano que hiere sin dejar rastro. No hay pruebas que la víctima pueda presentar ante el Ministerio Público, como en el caso de la violencia física.

TESTIMONIO DE UN HOMBRE DE 33 AÑOS

Mi madre nunca me ha golpeado, pero le tengo pánico. Es como si tuviera que ser perfecto cuando estoy frente a ella, pero nunca lo logro. No importa lo que yo diga o haga, su gesto siempre es de desaprobación. Cuando obtenía un nueve de calificación se enojaba y me decía que podía hacerlo mejor; si obtenía un diez, nunca me felicitaba, firmaba la boleta y después me regañaba por algo que había hecho antes, aunque ya me hubiera regañado. Si entraba a su cuarto, me miraba con tanta frialdad que me congelaba y ya no podía hablar, entonces se enojaba porque me quedaba callado. Así, no había manera de que pudiera hablar con ella, no era posible la comunicación.

Enfrente de sus amistades o parientes, actuaba diferente. En ocasiones hasta me hablaba en un tono cariñoso que nunca usó en la intimidad; otras veces me presentaba con dulzura como el niño al que todo se le olvida. Y es que mientras más lo decía, más se me olvidaban las cosas que ella me decía. Si estaba en la sala y me enviaba a su recámara por algo, era tanto mi miedo de olvidarlo en el camino que al llegar a su habitación ya no lo recordaba, entonces revisaba todo con desesperación tratando de acordarme, pero era inútil, siempre tenía que regresar y humillarme para preguntarle qué era lo que me había pedido. Ella, con una sonrisa de triunfo me decía: "Déjalo, ya sabía que se te iba a olvidar". Hace varios años que no vivo con ella, pero le sigo teniendo miedo y una parte de mí todavía quiere darle gusto; sin embargo, no importa lo que haga, jamás he conseguido su aprobación. Tengo buena memoria cuando se trata de otras personas, pero sigo olvidando lo que ella me encarga, y hasta su cumpleaños, que siempre recuerdo un día después. Todos los años le llamo para disculparme y sigo escuchando la misma frase: "Ya sabía que lo ibas a olvidar".

La víctima no tiene capacidad para defenderse. Su confusión es tan grande que no tiene posibilidades de reaccionar, o no se atreve a quejarse, o no sabe hacerlo. Cuando el perverso la ha debilitado lo suficiente, se siente aterrorizada ante una simple mirada fría. El nivel de angustia que padece es tan alto que se vuelve torpe y comete errores que desencadenan la agresividad de su verdugo. Frente a la intensidad de su dolor deja de luchar y se hunde hasta quedar anulada.

Con el tiempo, el estrés acumulado en una víctima de agresiones constantes es capaz de producir un trastorno ansioso generalizado en el que la víctima se instala en un estado de aprensión permanente. El organismo no puede soportar tanta tensión por mucho tiempo y su resistencia se agota, situación que produce desórdenes funcionales y orgánicos. Cuando finalmente se manifiesta una enfermedad terminal como el cáncer, nadie la relaciona con sus circunstancias, mucho menos con su verdugo.

Testimonio de una comedora compulsiva

Soy comedora compulsiva en recuperación. Mi enfermedad es la adicción a la comida. Me tomó mucho tiempo aceptar que estoy enferma, pero gracias a los doce pasos que llevamos en el grupo y a una terapia he conseguido mantenerme en abstinencia por más de cinco años. Uno de los asuntos más difíciles fue reconocer mis defectos de carácter. La mayoría de las gordas solemos jugar el papel de buenas, hablamos con tono dulce y no agredimos directamente. Consideramos que nuestra personalidad es encantadora pero en el fondo somos unas malditas.

Yo me convertí en la amiga rescatadora, la que acude corriendo cuando alguien tiene alguna pena, la que consuela, la que apapacha y, de esta manera, daba la impresión de ser toda bondad y serenidad. En realidad, disfrutaba que los demás tuvieran problemas y mi tremendo complejo de inferioridad se calmaba frente a esa situación en la que, según yo, los papeles se invertían. Era como decir: "Ahora tú estás mal y yo estoy bien". En el fondo no había más que odio. Recuerdo que daba los más tiernos consejos disfrazados de aprecio, pero sutilmente dirigidos a causar daño. A una amiga que tenía problemas en su matrimonio siempre le decía: "Pobre de ti, eres una santa, pero haces bien en aguantar", o "No pierdas las esperanzas, él se va a dar cuenta tarde o temprano y se va a arrepentir"; y así, con mi "apoyo incondicional" hacía que se encadenara cada día más a ese patán. Darme cuenta de esto me tomó años. Yo no era consciente de toda esta agresión, porque engañaba a todos y a mí misma. Fue gracias al programa de los doce pasos que logré ver todos lo defectos de carácter y cambiar.

Vínculo alcohol y violencia

Los grupos de Alcohólicos Anónimos (AA) refieren numerosos testimonios de agresiones violentas en contra de esposas, hijos u otros familiares. Entre otras ofensas, confiesan haberlos golpeado o insultado. Son miles los relatos de mujeres y niños golpeados con brutalidad por hombres alcoholizados. Pero no todos los borrachos pegan ni todos los violentos son borrachos. Lo que ocurre es que el alcohol desinhibe la violencia que está reprimida en el individuo y también proporciona una excusa para comportamientos inadmisibles.

Cuando una persona violenta padece la enfermedad de la adicción, causa un daño terrible a los suyos y a sí misma. La combinación de las dos cosas resulta fatal. Cuando entran al programa de recuperación de Alcohólicos Anónimos el nivel del daño que han causado a sus familiares suele ser enorme. En la medida en que van recuperando su salud mental se hacen conscientes y al dejar la bebida abandonan también los golpes.

TESTIMONIO DE UNA JOVEN DE 16 AÑOS

Mi padre siempre fue una persona tranquila y respetuosa, excepto cuando tomaba; entonces se transformaba en una bestia y golpeaba a mi madre. Siempre lo hacía en su habitación, pero yo me daba cuenta y sufría mucho. Después de una hora o dos de escuchar ruidos y quejidos se hacía el silencio y mi terror aumentaba. Tenía miedo que la hubiera matado o que fuera a venir a mi recámara. No dormía en toda la noche y me la pasaba rezando pidiéndole a Dios que mi mamá estuviera viva y él dormido. Al día siguiente cuando me preparaba para ir a la escuela, encontraba mi desayuno en la cocina, lo cual era una señal de que mamá vivía, y salía a esperar el autobús. Al mediodía me recibía mi madre para comer y no se hablaba del tema. Ella creía que no me daba cuenta de nada, y yo no quería hablar del asunto, temía que si se daba cuenta de que lo sabía todo, la familia se iba a separar.

Cuando tenía 12 años comencé a reprobar todas las materias y mi madre se preocupó. Advertía que no podía estudiar, y cuando intentaba ayudarme yo empezaba a llorar de pronto y no me podía detener. Entonces me llevó a terapia con una psicóloga que no sé cómo se dio cuenta de todo en la primera entrevista. Supe que citó a mis padres juntos y fue muy drástica. Ese día hablaron conmigo y por primera vez se tocó el tema. Mi padre nos pidió perdón y prometió acudir al grupo AA. Todos los días, muy temprano, acudía a su reunión y dejó de tomar. Mi madre se unió a un grupo de Al-Anón, pero yo continué con problemas. De repente mi familia era distinta y esto era confuso; además, le decía a la psicóloga que yo seguía teniendo mucho miedo, en especial cuando mi papá no llegaba antes de las siete. Finalmente, sugirió que me uniera a un grupo de Hijos de Alcohólicos. Me hizo sentir bien encontrarme con otros que habían vivido el mismo infierno, o peor, porque yo nunca fui golpeada y muchos de ellos sí.

Violencia anónima

Con la finalidad de causar daño, muchas personas por cobardía o impotencia recurren al anonimato. Esta forma de violencia puede ir desde mensajes amenazantes incógnitos hasta el envenenamiento e incendios provocados y, en algunos casos, explosivos. La persona que recurre al anonimato está muy enferma y es de las más peligrosas porque difícilmente es descubierta. Cuando se reciben amenazas escritas con letras recortadas del periódico la víctima puede enloquecer. Se trata de una técnica terrorista que primero causa el impacto de que se tiene un enemigo, y después desesperación de no saber quién es. Difícilmente se sospecha de una hermana bonachona; más bien de alguien con carácter hostil y éste es el peor error de la víctima. Es importante ser consciente de que si alguien recurre al anonimato, es porque no se atreve a agredir directamente y uno debe sospechar de aquellos que pueden estar actuando con hipocresía. El agresor juega el papel de bueno ante los demás y es posible que muestre un cariño especial por su víctima. Lo peor que le puede pasar al terrorista es ser descubierto, pero esto no lo detendrá, casi siempre huye de la escena y tarde o temprano buscará la oportunidad de volver a hacer daño.

Si el perverso cobarde es inteligente, se las arreglará para mantener en el terror a su víctima inventando muchas formas ingeniosas de atacar sin ser descubierto. Si carece de talento es probable que recurra a la brujería y los maleficios. El hechizo busca la subyugación de una voluntad débil por una fuerte. El perverso no tiene una voluntad fuerte y recurre a alguien que parece tenerla. Las prácticas de la magia son similares en todos los pueblos y es un recurso arcaico y primitivo. La credulidad está bastante extendida, no sólo en las más recónditas regiones rurales sino en la zona urbana y en todos los estadios socioeconómicos. No estamos hablando sólo de personas con bajo nivel educativo, se presenta en todas las clases sociales y muchas personas con buena situación económica suelen terminar chantajeadas por su "brujo". Existen muchas circunstancias de odio entre hermanos que no se atreven a expresarlo abiertamente porque la imagen falsa que mantienen ante los demás es de vital importancia para ellos.

TESTIMONIO DE UNA MUJER DE 29 AÑOS

Soy la cuarta de seis hermanos. Mis papás tuvieron dos hijos hombres y después una niña; yo nací cuatro años después y luego vinieron dos hombres más. A mi hermana le pusieron el nombre de mi abuela y a mí el de mi madre. Nuestra familia era cariñosa, nuestros padres pasaban mucho tiempo con todos nosotros y, aunque había pleitos de vez en cuando entre hermanos, nunca sucedió algo grave, más bien solíamos divertirnos mucho. Mi ídolo era mi hermana mayor, ella me cuidaba, jugaba conmigo y me regalaba sus cosas. En la escuela me sentía protegida sabiendo que estaba ahí. Nunca mostró otra cosa que cariño por mí y hasta hacían la broma de que yo tenía dos mamás, también decían que nadie me podía tocar porque ella siempre salía en mi defensa.

Es verdad que yo era muy bonita, todo el mundo lo decía, sobre todo mi hermana. Es verdad también que ella no era bonita, pero mostraba tanta dulzura que a nadie parecía importarle que fuera gordita y bastante fea. A mí me elogiaban la belleza externa, a ella la hermosura de su corazón. Cuando me hice novia de mi esposo ella me ayudaba a hacerle pasteles y galletas, a peinarme y hasta me arreglaba la ropa. Siempre estuvo ahí para consolarme cuando me pasaba algo malo;

curiosamente a mí me ocurrían muchas cosas malas como por casualidad. Me enfermaba del estómago, a pesar de haber comido lo mismo que todos, o perdía una tarea muy importante.

Cuando tenía quince años fui a pasar una semana con una amiga a su rancho; al regresar me encontré que la sirvienta se había ido sin avisar y de paso se había llevado toda mi ropa y mis discos, pero no era lo peor, había dejado la puerta abierta y mi perro, que era mi adoración, se había salido a la calle y desapareció. Mi hermana fue la primera que llegó ese día a la casa y encontró las cosas así. Me estuvo consolando, lloró conmigo por el perro y hasta me regaló un disco y una blusa.

Me gustaba el deporte y era buena para correr. Había ganado en una competencia interescolar del estado y el premio era un viaje a la capital a participar en las competencias nacionales. Esto era importante para mí y estaba nerviosa. Para calmarme, mi hermana me hizo un té de azahar con el fin de que durmiera bien. Debíamos estar en el aeropuerto a las cinco y media de la mañana para tomar el vuelo y llegar a tiempo a la competencia, pero, mala suerte, en algún momento de la noche se fue la luz y nuestros despertadores, todos eléctricos, no sonaron. Mis papás se sintieron muy mal: ¿cómo no se les había ocurrido tener un despertador mecánico? Yo perdí el avión y mi hermana me consoló todo el día.

Me casé y mi boda salió casi bien, gracias a que ella se encargó de los detalles. Y digo casi porque ahí también hubo problemas inesperados al perderse los anillos en mi propia casa y tuvimos que usar los de mis papás.

Cuando anuncié que estaba embarazada, ella se puso feliz y empezó a tejer chambritas. Yo dejé de trabajar y ella venía todas las tardes a ayudarme con las cosas del bebé y a consentirme. Me cocinaba mis "antojos" y decía que me cuidara. Antes de cumplir los tres meses tuve un aborto. Mi tristeza era enorme, pero ella me daba ánimos y no se separaba de mí cuando mi esposo no estaba. El médico dijo que podía embarazarme de nuevo y, aunque no sabíamos por qué, aborté estando todo tan bien; la próxima vez tendría que estar en reposo. Esto me alegró y en unas semanas todo volvió a la normalidad, excepto por la noticia de que transferían a mi esposo a la capital. Lo único que me pesaba de mudarme era dejar a mi hermana, por lo demás me encantó la idea. Al cumplir un mes en mi nueva casa recibí el primer anónimo. Quien lo enviaba me insultaba de manera vulgar y amenazaba con matarme a mí, a mi esposo o a alguien de la familia. Lo llevamos a la policía, pero nos dijeron que era difícil rastrear al agresor porque estaba muy bien hecho, sin huellas ni nada. El timbre postal era del Distrito Federal y estaba fechado una semana antes, el sello era de una colonia muy alejada y no me di cuenta de que la fecha coincidía con la última visita de mi hermana. Tres días después recibí otro peor, que venía de la misma oficina de correos, y al poco tiempo empezaron las llamadas por teléfono. Una voz rara dejaba mensajes en la grabadora diciendo que mi marido me engañaba, insultándome y amenazándome. Decía que me tenía vigilada, que iba a matarme, que regresara a mi pueblo o que dejara a mi esposo. Los mensajes eran muchos y largos, llenaban la cinta de la contestadora de tal forma que nadie más podía dejar mensajes.

Al principio nos pusimos nerviosos, después la situación se volvió escalofriante y entré en una crisis nerviosa. Para tranquilizarme, mi hermana hacía viajes relámpago de un solo día. Así pasaron siete meses sin saber de dónde venían las llamadas y las cartas que de vez en cuando continuaban llegando. Mi esposo decidió ir a la compañía de teléfonos para ver si se podían rastrear las llamadas o cambiar el número. Se encontró con la sorpresa de que en dos días iba a funcionar el sistema de identificador de llamadas, mismo que contratamos inmediatamente. En la pantalla se registraban las últimas llamadas con el número de origen y la hora. Cuando descubrí que todas las llamadas venían del celular de mi hermana, mi reacción fue de confusión. Sentí que enloquecía pues no entendía nada y estuve a punto de llamarle para decirle que alguien estaba usando su teléfono, pero mi esposo me lo impidió. Me sugirió que esperáramos porque a los dos días mis papás y mi hermana vendrían de visita.

Estábamos los cuatro en la sala cuando mi esposo anunció que ya sabíamos de quién eran las amenazas y les mostró el identificador. Fue espantoso, mi hermana se puso histérica y, en una especie de catarsis, comenzó a decir que toda la vida me había odiado porque yo llegué a desplazarla en todo. Confesó que había bajado el interruptor de la luz de la casa la noche anterior a mi viaje para competir en la capital; que había desaparecido mi ropa cuando se fue la sirvienta, y había dejado salir al perro. Así confesó miles de cosas, como haber escondido los anillos de mi boda, pero lo peor de todo fue cuando dijo que me había dado sustancias para provocar el aborto. Me ha costado mucho reponerme de esto porque era la persona que más había querido. No tengo idea de cuál es su problema ni quiero saber, bastante tengo con el dolor que me causó.

La violencia doméstica no es algo que afecte sólo a unas cuantas familias, se sabe poco porque es algo de lo que se prefiere no hablar. La violencia familiar se presenta en forma cíclica y progresiva. Para las víctimas de la violencia el miedo es lo cotidiano y va más allá del temor a los golpes e insultos. Tienen miedo de hablar o hacer algo que desate una agresión peor; pierden su identidad y la vida gira alrededor de su victimario, quien representa una amenaza constante en su existencia. Donde hay violencia siempre existen lesiones, aunque no siempre sean evidentes. Invariablemente habrá un individuo tratando de someter y controlar la voluntad de otro hasta que la nulifica y para lograrlo utiliza cualquier tipo de violencia. Esto requiere que exista una desigualdad, es decir, una posición de superioridad por parte del agresor y otra vulnerable por parte de la víctima. En la dinámica de la familia violenta siempre hay uno que gana y otro que pierde. Esta violencia es difícil de quebrantar porque el maltrato es una conducta aprendida y apoyada por el contexto cultural.

Las mujeres e hijos de padres violentos viven con miedo y angustia permanentes, la comunicación entre ellos se vuelve cada vez más difícil y lo que debería ser un espacio de solidaridad, apoyo mutuo y crecimiento personal se convierte en un infierno. Todos saben, aun en etapas de tranquilidad, que en cualquier momento puede producirse un episodio caótico y nunca se sienten relajados. La violencia doméstica tiene un costo social muy elevado. No sólo implica los gastos económicos de los servicios de salud, los sistemas de procuración de justicia y de las instituciones que prestan servicios de apoyo y atención a víctimas, hay otros costos difíciles de cuantificar causados por ausentismo y baja productividad en centros de trabajo, éstos frenan el desarrollo económico y afectan la posibilidad de crecimiento financiero en la región. Los niños víctimas de la violencia ven afectado su desarrollo humano. El hecho de que más de una tercera parte de nuestra sociedad esté viviendo con violencia en su casa nos habla de un problema grave de salud a nivel nacional.

Nuestra sociedad está formada principalmente por individuos que provienen de familias, por lo que el grado de violencia que se refleja en las calles se gesta en la intimidad de los hogares mexicanos. En el seno familiar se aprenden los valores y normas de comportamiento que se consideran adecuados. A medida que crece, el individuo refleja este aprendizaje en sus relaciones con la sociedad. Más tarde formará él mismo su propia familia y recomenzará el ciclo. Los problemas de violencia que cada día afectan más a nuestra sociedad no podrán ser resueltos con más cárceles y policías; la solución debe darse al interior de la familia, porque la violencia social y la doméstica están íntimamente relacionadas.

II. Relaciones destructivas, un problema de adicción

La información recabada al escuchar cada día a más mujeres, me ha permitido concluir que el maltrato existe como elemento cotidiano, que es una realidad viva y latente que se expresa en todos los niveles económicos y culturales de la sociedad. La violencia física en la pareja es la más evidente dado que, con frecuencia, sus manifestaciones se reflejan en la cara y algunas otras partes de la anatomía corporal. En diversas ocasiones observamos hematomas en brazos y cara, especialmente; ausencia de pelo en algunas regiones del cuero cabelludo, y golpes en el estómago que por lo general provocan abortos.

Desafortunadamente, aunque el problema salta a la vista, muchas mujeres prefieren mentir en el ámbito social y familiar para justificar las huellas de los actos violentos, protegiendo así al agresor. Argumentan que tienen una variedad de accidentes; lo curioso es que son cada vez más frecuentes y resultan ser las mujeres más accidentadas del año. Difícilmente confiesan al médico de la sala de urgencias que las lesiones fueron provocadas por su marido.

Es común que la violencia inicie desde el noviazgo, manifestándose de diversas formas como el jaloneo, manipulaciones y chantajes. Una vez que viven juntos empiezan las escenas de celos que pasan a los insultos y acaban con golpes. En México y Latinoamérica miles de mujeres –y de hombres también– son víctimas de relaciones destructivas y, lo que es peor, son adictos a ellas. La mayoría reconoce con dificultad que su relación es disfuncional y mucho menos acepta recibir ayuda para salvarse a sí misma. Es desesperante oír, cuando trabajo con mujeres adictas a las relaciones destructivas, la cantidad de pretextos con que justifican su relación y cómo defienden a su victimario con su propia pasividad. Incluso pueden pasar años de terapia sin que se decidan a hacer algo o salir de su infierno. Como médico, y como ser humano, enfrento el reto de resolver la pregunta acerca de cómo salir de ese círculo de abuso y dependencia antes de que sobrevenga alguna enfermedad irreversible que conduzca a la muerte.

TESTIMONIO DE UNA MUJER DE 35 AÑOS

Tuve un noviazgo de cuento de hadas. Durante dos años Germán no hizo más que halagarme, me llevaba serenatas y enviaba flores constantemente. Cuando cumplimos un año de novios, encontré mi recámara tapizada de rosas. Mis padres lo adoraban. Para ellos, y para mí, era el hombre perfecto, todo un caballero, de buena familia, detallista, exitoso y bien parecido. Finalmente, tuve una boda de reina con todo lujo y cientos de invitados. Sí, fue el día más feliz de mi vida, al igual que nuestra luna de miel en París y… nunca más.

Al volver de Francia nos esperaba una invitación a cenar en casa del jefe de Germán, ahí estarían los socios de la compañía y sus esposas. Este hecho le importaba tanto que en París me compró el vestido más caro que he tenido, los zapatos adecuados, el collar, los aretes y un abrigo. Nos llevó un día entero completar el atuendo y todo fue elegido por él. Yo lo permití estúpidamente agradecida, sin reconocer que no lo hacía por mí sino por su propia imagen. Jamás me preguntó si algo era de mi gusto. Camino a la cena, me pidió en el coche que por favor sonriera, que no opinara sobre algo que no me preguntaran, y que cuando lo hicieran tratara de ser muy breve y responder más con sonrisas que con palabras. "Finge ser tímida –me dijo–, se trata de una cuestión de mi trabajo, no de amistades y mientras menos intimemos mejor."

Lo comprendí perfecto y yo, que tanto lo amaba, lo apoyaría en todo. Por supuesto que no haría algo que pudiera afectarlo en su trabajo. Me mantuve callada y sonriente sin opinar y no tuve que contestar las preguntas que me hacían porque todas las respondía él, aunque fueran dirigidas a mí. A los dos días nos reunimos con sus amigos. Creía que, tratándose de amistades, ahí sí podría ser como soy. Alguien empezó a hablar de la Bolsa de Valores, era el tema del momento. Recuerdo que todo mundo compraba acciones, hasta los taxistas, y la Bolsa subía y subía todos los días alcanzando niveles históricos.

Un amigo de Germán decía que quien no invertía su dinero así era un tonto; de hecho, él había vendido todas sus propiedades para invertir. A mí se me ocurrió preguntarle si no temía que pasara lo que pasó con la Bolsa de Nueva York a principios de siglo, si no le preocupaba que el valor de la acciones fuera ficticio, ya que no correspondía a lo que valían las empresas sino a una mera especulación. Germán me interrumpió con una sonrisa paternal y, riéndose, me dijo:

–Mi amor, no hables de lo que no sabes –y volteándose a la concurrencia continuó–; Lucía lee muchas novelitas, perdónenla.

Todos soltaron una carcajada y yo me sentí herida. Qué manera tan tierna de decirme estúpida. Pensé en defenderme, quería decirles que leo muchos libros de historia del siglo veinte, además del periódico y la revista *Time*, pero opté por quedarme callada, no iba a ser yo quien iniciara un primer pleito en nuestro hermoso matrimonio y menos frente a sus amigos.

Pasaron tres meses en los que cada vez que opinaba sobre las noticias o la situación económica, Germán elevaba los ojos al cielo, hacía una sonrisita sarcástica y movía la cabeza de un lado a otro como diciendo: "Qué estúpida eres mi amor". Cuando externé mi preocupación porque vendió la casa y otras propiedades que tenía para invertir todo en la Bolsa me dijo: "Mi amor, no insinúes que no sé lo que hago, ¿acaso crees que llegué a gerente de finanzas de una gran compañía por ignorante? Prométeme que los asuntos de dinero me los dejarás a mí que soy el que sabe. Tú no tienes que pensar en eso, sólo preocúpate de la casa y de darme el mejor regalo: un hijo".

El anuncio de mi embarazo lo transformó, lloró de felicidad, llenó la casa de flores, y me decía constantemente: "Pídeme lo que quieras". Me sentía halagada, podía pedir cualquier cosa y él me daba gusto, pero no podía decirle que sacara el dinero de la Bolsa, ése era un tema prohibido. Su felicidad lo llenó de energía y entusiasmo, mismos que contagió a sus padres y a los míos, a quienes había convencido de que invirtieran todos sus ahorros en la Bolsa. A los pocos días pasó lo que todos saben que ocurrió, lo que no saben es que en mi casa la culpable fui yo.

Ese día negro se desplomó la economía de muchos. A mí, se me derrumbó el mundo entero. El encantador y flamante gerente de finanzas que tenía por marido se convirtió en monstruo en cuestión de minutos. Se había levantado tarde y estaba a punto de salir a la oficina cuando sonó el teléfono. Era su jefe que, sin saludar como siempre lo hacía, me ordenó que se lo pasara. Su rostro cambió de color y sólo balbuceaba, alcancé a entender las palabras: "Voy para allá". Le pregunté qué pasaba y me gritó: "¡Cállate!", soltándome una bofetada que me tiró al piso. Después, sólo escuche un portazo.

Conforme avanzaba el día me fui enterando de lo que pasaba y entré en pánico. No me atreví a llamarle, no era prudente, así que decidí esperar a que volviera y, mientras lo hacía, justifiqué su actitud en mi mente, estaba segura de que me pediría perdón y yo, por supuesto, lo perdonaría. Sabía que esto le afectaría mucho y tendría que apoyarlo, ser tolerante. "En las buenas y en las malas" habíamos quedado y éstas eran las malas. Dejaríamos de ser ricos, pero él tenía un buen sueldo y era inteligente; gracias a Dios tenía la alegría del bebé que era lo que más le importaba. Además yo podía trabajar, aunque desde el noviazgo habíamos quedado en que no lo haría y que le daría gusto en eso. Más tarde me convencí a mí misma de que no quiso golpearme. La noticia había sido demasiado grave y no se dio cuenta. Él me quería y lo hizo "sin querer", no se lo reprocharía, así que hice todo lo que pude para ocultar el moretón que crecía en mi cara. Me fui tranquilizando con mis reflexiones hasta que nuevamente sonó el teléfono como a las cinco de la tarde. Era mi suegro preguntando por él. Me dijo que había llamado a su oficina y alguien le había dicho: "Desde hace cuatro horas ya no trabaja aquí". Entré en estado de pánico ¿y si le hubiera sucedido algo?, estaba muy alterado y no era prudente que manejara así. Pasé horas de angustia rezando para que estuviera bien. Apareció hasta la una de la mañana. Yo, que estaba tan dispuesta a servirle de refugio consolador, me le acerqué y cuando quise abrazarlo recibí un golpe tan fuerte que salí disparada contra la pared y quedé inconsciente. Cuando desperté, él roncaba en la cama. Me acosté junto a él en un estado de desconcierto total, no podía pensar y la cabeza me dolía terriblemente.

Al día siguiente me encontró en la cocina y me gritó: "¡No me hables!". Después se pegó todo el día al teléfono tratando de convencer a la gente de que la Bolsa se iba a recuperar. Tenía la televisión encendida y se escuchaba cómo la situación sólo empeoraba. Yo estaba paralizada, ya no sabía qué pensar o qué hacer, como una idiota me quedé todo el día en la cocina tratando de pasar inadvertida. Recuerdo que escuché que la Bolsa había cerrado, y segundos después entró a la cocina y se abalanzó sobre mí con una brutalidad increíble. Me tiró al piso y, mientras me pateaba profiriendo los insultos más vulgares y denigrantes que uno puede escuchar, también me decía: "Ya estarás contenta. Pasó lo que querías ¿no?". Cuando creí que ya no podría soportar más dolor se detuvo y simplemente salió de la casa.

Afortunadamente había un teléfono en la cocina y, aunque me fue muy difícil arrastrarme hasta él, logré llamar a mi papá. Dos horas después me encontraba en el hospital con varias costillas rotas, había perdido al bebé y mi rostro era irreconocible. Escuché al médico decirles a mis padres: "Casi la mata". Yo era tan tonta que todavía intenté convencer a mi padre de no demandar, pero él estaba enloquecido, decía que él mismo tenía ganas de matarlo.

Fueron mis padres quienes me llevaron a terapia y quienes me salvaron, porque, cuando él apareció arrepentido pidiendo perdón, yo quería irme con él. Mi padre me encerró literalmente y me dijo:

"Después de un año de terapia te dejo ir a donde quieras". Un año después, Germán se encontraba en una cárcel de Jalisco acusado de intento de homicidio por una prostituta. Lo peor de mi caso es que sentía ganas de ir a consolarlo. Gracias a la terapia y especialmente a mi grupo de Al-Anón pude frenarme y comprender que estoy enferma y hasta que no consiga estar en franca recuperación lo mejor es no involucrarme.

En una relación destructiva uno de los integrantes de la pareja se dedica a abusar emocional y/o físicamente del otro. El abuso emocional se caracteriza por una agresión constante. Algunas de las manifestaciones del abuso emocional son: desvalorización, negación, denigración, insultos, infidelidades, burlas, humillaciones, desprecios, silencios hirientes, actitudes ofensivas, faltas de respeto. Por su parte, el abuso físico va desde empujones y apretones, hasta tremendas golpizas con fracturas y, en algunos casos, el asesinato.

Dentro de la pareja, se encuentra también la violación sexual, que actualmente está considerada como un delito. Se llama violencia sexual doméstica y en muchos casos es aceptada debido a la cultura machista. "Siempre que él quiera, tú tienes que estar dispuesta", suele ser el consejo de muchas madres a sus hijas cuando se van a casar. Y es exactamente lo mismo cuando uno de los dos obliga al otro a hacer cosas que no le gustan. Se cree que a los hombres les está permitido hacer lo que se les ocurra, y las mujeres tienen que soportarlo. El cónyuge no tiene autorización ni derecho a hacerlo aunque tenga la bendición de un obispo.

La víctima suele justificar los maltratos que sufre por sentirse responsable de la ira de su agresor, misma que suele culminar en golpizas con lesiones a veces leves y otras graves. Piensa: "Yo tengo la culpa por no obedecer", "Me lo gané por abrir la boca de más". A lo largo de su vida, estas mujeres fueron cediendo en todas las demandas de sus compañeros, principalmente por el temor de ser abandonadas. Lo curioso es que, a la larga, casi todas terminan siéndolo. Sus compañeros pasan periodos largos fuera del hogar sin cumplir con las responsabilidades de padres de familia y regresan después condicionando su estancia; dicen: "Te voy a dar otra oportunidad, pero no vuelvas a desesperarme".

Muchas de las víctimas argumentan que aceptan los malos tratos por la necesidad de tener un hombre de respeto en casa, porque no pueden sostenerse económicamente, porque los hijos necesitan de un padre. Nietzsche decía que cuando una persona se conforma con todo lo que le imponen es como un camello que se arrodilla y pide que le pongan la carga encima; frecuentemente ésta es la actitud de la víctima.

Mi experiencia demuestra que sólo una minoría de mujeres maltratadas decide confesar su situación a otra persona y son todavía menos las que lo hacen ante un psiquiatra o un psicólogo. Es probable que acudan a un médico general a curar las heridas producto de los golpes. Son muchos los centros de salud a los que acuden las mujeres golpeadas, pero desafortunadamente los médicos sólo les atienden las consecuencias de la golpiza, sin indagar si se trata de un caso de violencia conyugal severa y no toman en cuenta las consecuencias psicológicas que ello conlleva.

Los hombres que abusan de sus mujeres son más frecuentes de lo que pensamos. Detrás de la infinidad de relaciones a nuestro alrededor, seguramente se esconde una destructiva. Una relación de pareja con violencia suele tener una historia larga. Uno se pregunta por qué la víctima no abandonó la relación desde el principio, cuando se dio cuenta de que su pareja era en realidad una bestia. La respuesta es *no pude*. Como médico psiquiatra me llevó muchos años entender qué se ocultaba y qué se movía en este tipo de relaciones para ayudar a mis pacientes a librarse de una situación que, ante todo, parece una maldición.

Mi especialización en psiquiatría tuvo un marcado interés hacia la criminología, fue quizá lo que me llevó, siendo apenas médico residente, a trabajar con farmacodependientes y, en general, con adictos a sustancias tóxicas. Mi vida profesional tuvo dos vertientes: el trabajo con adictos y el trabajo con mujeres. A lo largo de 30 años aproximadamente he tenido trato directo con personas adictas a diversos aspectos, desde sustancias tóxicas hasta el trabajo, la comida, etcétera. Estas personas tienen características comunes a todos aquellos que padecen una adicción. Los adictos son copias al carbón unos de otros, independientemente de aquello a lo que sean adictos. Se trata de personas con una inmadurez emocional, que crean dependencias.

En su evolución, los adictos tienen como característica especial dejar una adicción por otra. Muchas personas piensan que cuando renuncian a la adicción de la nicotina engordan porque ya no fuman, pero más bien lo que ocurre es que engordan porque se vuelven adictas a la comida y empiezan a comer más, es decir, se vuelven comedoras compulsivas. Para mi sorpresa, las mismas características y tendencias que se observan en un adicto fui advirtiéndolas, poco a poco, en los casos de mujeres víctimas de maltrato, cuyas relaciones amorosas coincidían en una queja constante: "No puedo vivir con él, ni puedo vivir sin él".

Después de escuchar a cientos de mujeres que viven una relación destructiva, incluso a aquellas que son víctimas de brutales golpizas por parte de sus maridos, me pude dar cuenta de que dependen a tal grado de esa relación que, a pesar de vivir un auténtico infierno, no están conscientes de lo absurdo de su situación y son incapaces siquiera de pensar en darla por terminada. Si acaso llegan a pensarlo, no encuentran el valor para hacerlo. Suelen decir: "Sí, doctor, ya sé que me hace daño, pero ¿cómo hago para dejarlo?". Me resultó sumamente interesante descubrir esa semejanza y debo confesar que pasaron muchos años antes de que hiciera click y supusiera que esas relaciones podrían ser, en realidad, verdaderas adicciones aberrantes.

Del mismo modo que un adicto a las drogas va muriendo porque no puede dejar de utilizar sustancias tóxicas, o un alcohólico sufre porque no puede dejar de beber, la mujer, en el silencio de su soledad y en medio de cuatro paredes, va muriendo porque no puede dejar de vivir sin su "hombre", a pesar del maltrato. A partir de los primeros abusos, la mujer se paraliza y, por tanto, queda incapacitada para responder a la agresión física o emocional de su pareja. Vive en un constante estado de estrés y padece continuamente síntomas de depresión, los cuales pueden ocasionar complicaciones tan severas que pueden llevar a la muerte. Este proceso se denomina triángulo abuso-estrés-depresión. En él vive inmersa la mujer sin la aparente intención de hacer algo por librarse, no tiene una expectativa realista y va cayendo en un estado de indefensión. Este conjunto de síntomas, que para mi sorpresa afecta a una de cada tres mujeres, no coincide con ese otro tipo de mujeres que soportan el maltrato por asumir posiciones masoquistas. Aquí se trata de mujeres que no disfrutan en absoluto de su situación, más bien la sufren a profundidad, pero no saben qué hacer.

He preguntado a mujeres víctimas de abuso emocional por qué no abandonan a sus parejas y la respuesta, invariablemente, es: "Porque no puedo". Es aquí donde existe una enorme semejanza entre la dependencia a sustancias tóxicas y la dependencia a relaciones destructivas. Los adictos están enganchados a algo que los destruye y que, de no iniciar un tratamiento, los aniquilará irremediablemente. Es importante para toda mujer víctima de una relación destructiva, saber que existen relaciones así en todo el mundo y abundan en esta ciudad. Aquí, en este mismo entorno, existen miles de mujeres víctimas de situaciones parecidas.

El enganche

El proceso que sigue una relación destructiva es lento en un principio y está totalmente enmascarado. En la etapa del cortejo todo parece normal: dos personas enamorándose una de la otra. Pero no es así, se trata de dos enfermos que no se están enamorando, se están enganchando. Lo más común es que se trate de una mujer con predisposición a la adicción y un misógino. La atracción que sienten el verdugo y su víctima es parte de la enfermedad de ambos, al igual que los intercambios furtivos de sentimientos ocultos que no tienen lugar en el ámbito de lo consciente, es una poderosa fuerza subyacente en su relación.

Una mujer que llama la atención por su belleza narra que tuvo muchos pretendientes en la juventud, sin embargo, se enamoró del peor. Su corazón se fue tras el más feo, borrachín y con peor carácter; su razón no lo entendía, pero su arrebato emocional era de tal intensidad que no quiso escuchar los peros de quienes la querían. En esta dependencia natural se encuentra el origen de las relaciones destructivas. La mujer, por un lado, busca seguridad, amor, confianza y credibilidad, porque generalmente carece de ellos. En el fondo es una mujer insegura que no se ama y que no confía en sí misma, aun cuando aparente algo distinto. Ella busca a alguien que tenga estas cualidades en cantidades superlativas, o sea, un hombre seguro de sí mismo, confiado y que tenga una autoestima alta. Por otro lado, encontramos un hombre sin autoestima, inseguro y sin la más mínima confianza en sí mismo que aspira a la mujer que en un principio cree que no merece porque curiosamente se trata de una mujer guapa e inteligente y la siente inalcanzable, entonces empieza a aparentar todas aquellas cualidades: se torna valiente, seguro de sí mismo, presume de riqueza y de seguridad. Se realiza entonces un falso cortejo que funciona con base en apariencias: las partes embonan a simple vista como una tuerca y un tornillo. Así, surge una relación enferma en la que una de las partes tiene una predisposición total a aceptarlo todo.

Una vez que el enganche se ha llevado a cabo y los dos creen estar enamorados aparecerán las agresiones. Usualmente esto ocurre cuando ya viven juntos. Al principio puede tratarse de comentarios sutiles, el marido empieza a desvalorizar a la mujer con palabras como *inútil*, *tonta*, *no entiendes nada*, *no luces como mujer*, o usando calificativos destructivos o humillantes. De esta manera ella va perdiendo su autoestima. La tensión va creciendo poco a poco y después comienzan los golpes. La primera reacción de la víctima es la parálisis, ya sea por la confusión causada por el maltrato de quien presumiblemente "la ama", o por tratar de justificar ese comportamiento reconociéndose como culpable y, por tanto, merecedora del maltrato. Al paralizarse, esa mujer está invitando a su misógino a seguir maltratándola. Entonces comienza a estresarse al vivir en una verdadera pesadilla bajo los síntomas de una depresión severa, la cual es el motor que provoca las enfermedades más serias, incluidos, por supuesto, los cánceres mortales. Si la mujer maltratada no decide buscar una solución a tiempo mediante la ayuda de profesionales, habrá de costarle la vida.

El agresor trata de aislar a la víctima de sus familiares y amigos para que no tenga apoyos, y la víctima hace lo que él dice, pensando que así podrá evitar el conflicto. Pero esto no es verdad porque no importa lo que haga o deje de hacer ella, él buscará la forma de empezar las discusiones. El aislamiento es el motivo del maltrato y la situación en la que se empieza a ejercer la violencia. Este dominio va en aumento. Posteriormente, a través de golpes, el agresor pretende demostrar que la mujer es de su "propiedad". Por lo regular la víctima mantiene todo en secreto, no dice lo que está pasando a sus amigos o familiares, por vergüenza o para evitar conflictos.

El agresor no es un golpeador todo el tiempo, manifiesta cambios bruscos en los que se arrepiente, pide perdón y proporciona un trato afectuoso. Muchos son "encantadores" en esa etapa y hacen pensar a la víctima que todo puede cambiar. Se entra así en un círculo llamado fase de tensión-maltrato-reconciliación. Las víctimas confunden las agresiones con el amor y creen realmente que su agresor es sincero cuando dice que las quiere, pero el ciclo vuelve a comenzar.

En su libro *Cuando el amor es odio*, Susan Forward describe los clásicos comportamientos de la relación destructiva:

1. El hombre se adjudica el derecho a controlar la forma en que vive y se conduce su pareja.

2. Para hacerlo feliz, la mujer renuncia a ver personas o realizar actividades que eran importantes en su vida.

3. El hombre desvaloriza las opiniones, los sentimientos

y los logros de su pareja.

4. Cuando la mujer hace algo que le disgusta, él vocifera, manotea, amenaza o castiga con un silencio colérico.

5. La mujer siente que debe tentar el terreno y ensayar lo que le dirá para no disgustarle. Vive en un miedo constante.

6. La mujer se confunde ante los cambios bruscos en él, que van del más dulce encanto a la más cruel cólera, sin algo que los prevenga.

7. La mujer suele sentirse perpleja, desorientada o fuera de lugar al estar frente a su pareja.

8. El hombre es sumamente celoso y posesivo.

9. El hombre culpa a su mujer de todo lo que funciona mal en la relación.

La alternancia entre amabilidad y maltrato mantiene viva en la mujer la esperanza de que no volverá a ocurrir. Muchas se proponen hacer que el marido cambie, creen que pueden reeducarlo y piensan que es su responsabilidad lograr que permanezca sin alterarse. Las relaciones en las que un hombre, aparentemente normal ante la sociedad, golpea a su mujer son sólo la punta del iceberg de las relaciones destructivas. Existen cientos de miles de hombres que abusan emocionalmente de sus mujeres de diversas maneras, tan destructivas como los golpes. Mediante una serie de vejaciones y maltratos, las llevan a sufrir enfermedades que pueden llegar a costarles la vida. Otras formas de violencia destructiva en una relación son la infidelidad, los insultos y el menosprecio. El trato cotidiano a una mujer como ser inferior puede, a la larga, ser causa de una enfermedad grave como el cáncer. El control que se ejerce en la restricción de los recursos económicos es también otra manifestación de violencia.

El sujeto que agrede, actúa con una crueldad deliberada y quien lo soporta lo hace también deliberadamente, porque cree que ése es su papel, o tiene el convencimiento de que sin el otro no puede vivir. La vida cotidiana de una relación destructiva se desarrolla como un juego macabro en el que se intercambian el dominio y la dependencia. Se necesitan dos: un tirano y un sometido que se deja. Pero ¿cómo son estas personalidades enfermas?

La víctima

El drama de mujeres atrapadas en la dependencia de su agresor es una enfermedad que va más allá de una epidemia, porque ataca a grupos universales de población sin distinguir edades o niveles económicos, sociales y culturales, y está integrada por situaciones de abuso aberrantes en el mundo occidental.

La persona que tiende a la dependencia por lo general es un ser humano que nace con la incapacidad para ser independiente desde el punto de vista emocional. Al tipo de personas que padecen esta carencia para ser independientes, cuando niños se les califica como de poco carácter, poco sociales, introvertidos, raros, diferentes o extraños. Existe un profundo temor al rechazo y al abandono. Un niño así siempre estará temiendo que su mamá se muera o que no vaya a regresar cuando sale. Ese niño crece y, conforme participe en una relación amorosa de pareja, empieza a desarrollar los mismos miedos de separación, pero ahora sobre la persona que ama. Vive en un constante temor a que su pareja le abandone. Se trata de un tipo de niño que nace por igual en familias bien organizadas o en las que no lo están, puede ser hijo de madre o padre educados bajo dogmas o religiones diversos, del mismo modo puede ser hijo de inadaptados sociales que de un obrero o un arquitecto.

Muchas personas piensan que el hecho de que un individuo permita ser agredido constantemente se debe a la falta de inteligencia. No es así, un hombre o una mujer con elevada capacidad intelectual puede padecer la enfermedad, y aunque su inteligencia funcione de maravilla en otros aspectos de su vida se encuentra discapacitado emocionalmente. En el fondo, una mujer adicta a una relación destructiva está convencida de que el sufrimiento es el único camino para la trascendencia a la eternidad. En los orígenes religiosos, las divinidades eran todas mujeres: la diosa del amor, la diosa de la vida y la diosa de la sabiduría, entre otras, todas generadoras de vida. Estas diosas desaparecieron cuando los judíos fundamentalistas no sólo no permitieron que Yahvé tuviera esposa, sino que negaron la existencia de diosas mujeres. Ahí quedaron arraigadas las creencias profundas que originaron la religión católica que ha dado forma, a su vez, a la estructura mexicana de creencias.

En México no hay halago más gratificante para una mujer que decirle: "Eres una santa". Como consigna, la mujer mexicana debe morir en la hoguera. La mujer santa y sufrida carga su cruz conforme con la identidad cultural del pueblo mexicano, al que han hecho pensar que Dios está pendiente de todas las tonterías porque las evalúa como una especie de cotización en la que suben o bajan las indulgencias en función de la cantidad de sufrimiento que esas "tontas" acumulan. Tal marco de ideas es el componente cultural e ideológico que prevalece en México. En este contexto, la mujer ha sido educada para la sumisión, dependiente, con una autoestima por los suelos y acostumbrada al dominio, especialmente el masculino. El impulso de repetir lo familiar, combinado con el segundo e igualmente poderoso empuje de conseguir que las cosas salgan mejor, se convierte en una trampa donde caen muchas mujeres. A pesar de su determinación a tener mejores relaciones que las de sus padres, desembocan en situaciones similares. Las madres que enseñan sumisión proponen un modelo muy poderoso de comportamiento. Una madre que se deja golpear está demostrando a su hija que una mujer debe tolerar cualquier cosa con tal de aferrarse a un hombre. Cuando una mujer empieza a ser maltratada emocional o físicamente por su esposo, los únicos recursos con que cuenta para vivir y justificar esta situación son el martirologio y el sacrificio de la mujer mexicana con esa tradición histórica, cultural y social que le hacen pensar que debe sacrificar su vida para ganarse el cielo. Las pacientes que acuden a mi consulta están entrampadas en un nudo ciego. Viven una verdadera dependencia y no encuentran salida alguna por encontrarse inmersas en profundos estados de dolor. Los rasgos de la personalidad de un individuo con predisposición a la adicción a las relaciones destructivas coinciden con los de la personalidad alcohólica (véase mi libro *Las familias alcohólicas*, publicado por Grijalbo). La diferencia es que en vez de una sustancia la persona necesita vivir a expensas de las acciones, los pensamientos, las conductas y los sentimientos de otro. Se trata de una predisposición genética, y si se analizan las características de la historia de individuos con esta personalidad se advierte que muchos empiezan a depender de algo desde temprana edad. Estas personas acostumbran actuar íntimamente con aquellos de quienes dependen. La intimidad se presenta en todo los aspectos: pensamiento y sentimiento. Las personas que dependen de esa intimidad consideran imposible su supervivencia sin la participación o permanencia de quien dependen en su vida, de sus acciones y sentimientos. Así, establecen una verdadera dependencia emocional. A pesar de los maltratos que padece, la víctima no puede vivir sin su victimario. Puede soportar el sufrimiento del maltrato porque se engaña creyendo que "ella lo puede cambiar" y no está consciente de que el cuadro puede llevarla a la enfermedad, incluso a la muerte en casos extremos.

Testimonio de la hermana de una "santa"

Martha fue siempre la niña buena de la familia. De seis hermanos, era la única que siempre evitaba cualquier confrontación y se dejaba que todos la mandaran. Por supuesto que nos aprovechábamos de su disposición y hasta la tarea nos hacía. Cuando se iba a casar, todos conocíamos al galán. Era guapo pero infantil y parrandero, ni siquiera había concluido la preparatoria. De nada sirvieron los intentos de mis padres por disuadirla, ella se empecinó y terminó casándose con él.

Pronto llegaron los hijos y empezó el drama. Lloraba en la recámara de mi mamá porque Fernando tomaba mucho; porque le falló el negocio y no podían pagar la renta. Él odiaba verla siempre con su cara de víctima, mártir y santa; se la pasaba en la iglesia llorándole también a su confesor, quien él suponía le echaba porras porque se estaba ganado el cielo al soportarlo.

Mi papá compró el departamento para que no tuviera que pagar renta, le pagaba las colegiaturas y le depositaba una cantidad mensual para que ella pudiera hacer las compras necesarias. Como Fernando había vendido el carro de Martha, mi papá le prestó uno pero ya no lo puso a su nombre. Y así pasaron los años, la historia de los negocios fallidos se repetía; a Fernando se le veía casi a diario, muy bien vestido, bebiendo en el mismo restaurante elegante, y a ella llorando en el hombro de mi madre. Empezó a hablar de divorcio hace años y mi papá, que tiene mucho dinero, le ofreció lo que quisiera si lo dejaba, pero eso no ha sucedido.

Lo que más me indigna es verlos en reuniones familiares, como las bodas. Él, siempre instalado con su trago en la mano, departiendo como el que todo lo sabe y todo lo puede, y presumiendo del gran negocio que está a punto de hacer. A Martha se le ve atendiéndolo, pendiente de ver qué se le ofrece, trayéndole el siguiente trago y humillándose todo el tiempo ante la indiferencia de Fernando, que ni siquiera le da las gracias.

La escena es peor cuando hay una comida en casa de mis papás. La santita se mete a la cocina y le hace su sopita de pasta a Fernando como a él le gusta, ni siquiera se la trae en un envase porque tiene que ser recién hecha; después la envía a la cocina por una tortilla caliente o un limón y ella abandona su lugar en la mesa dos o tres veces para surtir el pedido de inmediato. El exceso es que un día hasta salió corriendo al mercado porque no tenía el chile serrano que él quería para acompañar su sopita. Por supuesto, él recibió este hecho con naturalidad y no la volteó ni a ver.

Como todas las adicciones, las características principales de una relación destructiva conllevan por definición la premisa de que existe una tolerancia, es decir, la capacidad para acostumbrarse a la sustancia adictiva y la necesidad de aumentar progresivamente la cantidad y frecuencia de las dosis. Por otra parte, se presenta el síndrome de abstinencia, cuadro clínico físico y emocional que aparece por la suspensión del tóxico y cuya intensidad o gravedad es proporcional al grado de adicción que el enfermo manifiesta; además, éste llega a ser mortal en los casos más severos. Cuando una mujer adicta a una relación destructiva se ve privada de la compañía de su misógino, sufre el síndrome de abstinencia y padece los mismos trastornos que tiene un alcohólico o un drogadicto ante la falta de la sustancia: temblor intenso de las manos, lengua seca y por lo menos uno de los factores siguientes: náusea, vómito, malestar o debilidad, hiperactividad autonómica como taquicardia o presión arterial alta, ansiedad, ánimo depresivo o irritabilidad, alucinaciones o ilusiones transitorias, dolor de cabeza o insomnio.

TESTIMONIO DE UNA MUJER DE 35 AÑOS

Una vez me armé de valor y dejé la casa. Las cosas habían llegado muy lejos. Javier me rompió la quijada y además golpeó y humilló a mi hijo enfrente de sus amigos y, por si fuera poco, mató a su perro a patadas. Yo había aguantado diez años de golpes, pleitos y reconciliaciones y sentía que era demasiado.

Me fui a casa de mis papás, pero no estuve tranquila. Javier no se comunicaba y, en el fondo, yo esperaba que reaccionara y pidiera perdón, que con mi salida viera que iba en serio y volviéramos para vivir una vida en paz. Quería que se diera cuenta de que me quería, que yo le hacía falta y que me extrañara. Pero pasaron dos semanas y no apareció. Yo empecé a enfermarme, me dolía todo y no podía dormir. Mi cuerpo temblaba, la cabeza me daba vueltas y no pensaba en nada que no fuera él. Una noche entré en pánico, se me ocurrió que podía estar viendo a otra mujer y eso fue intolerable. En la madrugada me presenté en la casa y le pedí perdón. Tuve que humillarme y prometer miles de cosas para que me aceptara de regreso. Finalmente aceptó, pero me dijo: "No sé si te pueda perdonar".

Así, sola me subí a mi cruz y a mi hijo también. Los tres años que siguieron fueron diez veces peores, lo único que hacía era tratar de proteger al niño y me interponía para recibir los golpes. Fue gracias a una amiga que me insistió que acudí a una terapia. Me convenció porque ella había vivido algo similar y ahora estaba muy tranquila. Hacía mucho tiempo que yo había olvidado cómo se sentía la serenidad.

Me tomó un año de terapia individual y de grupo para atreverme a dejarlo de nuevo, y aun así las primeras semanas fueron muy difíciles porque volví a tener todos los síntomas. Gracias a Dios ahora contaba con el apoyo del grupo y me ayudaron a pasar esa etapa sin caer en la tentación de volver a humillarme. Necesité mucho valor para demandar el divorcio. Legalmente no fue difícil porque había muchas pruebas de clínicas y hospitales, lo difícil era dar un paso en su contra. No estoy curada completamente; una parte de mí todavía desea que Javier no lo esté pasando bien y se arrepienta. Sé que estaré libre el día que no me importe si está bien o mal, si vive o no. Sé que se puede porque he visto que algunas de mis compañeras de grupo lo han logrado.

Es importante aclarar que la mujer se vuelve adicta a la relación con su misógino y no a sus maltratos, ella busca estar cerca de su pareja a pesar del riesgo y el dolor que eso conlleva. Puede manifestar pruebas de deterioro e incapacidad para controlar el deseo de estar con él y buscará desesperadamente aliviar o evitar los síntomas de la abstinencia. Esta mujer, cuando vive una crisis, llama varias veces por teléfono a su cónyuge aun a sabiendas de que éste tendrá una reacción violenta que hasta puede derivar en una golpiza.

La tolerancia y el síndrome de abstinencia son características comunes a cualquier adicción y definen también, en este caso, la adicción a una relación destructiva. Al inicio de una relación la mujer se ve afectada por un proceso intenso de cambios emocionales, físicos y hormonales que la llevan a tener la sensación de permanecer en un estado integral de exaltación, euforia e hipersensibilidad que llama "enamoramiento". Si percibe algún defecto en el carácter de su enamorado cree que su gran amor lo va a corregir, si ve que tiene problemas con el alcohol ella lo va a rescatar.

Una de las adicciones más graves en las relaciones destructivas es la adicción por el odio. Muchas mujeres traducen su necesidad de odiar en un profundo resentimiento y establecen un vínculo tan estrecho con su dependencia, su misógino, que terminan por aniquilarse. Este tipo de adicción es el más desconocido, el que menos se ha estudiado, pero es el más frecuente. El resentimiento es un veneno del alma que, generalmente, no se expresa porque lleva a la hipocresía y da lugar a una persona callada que vive reuniendo y haciendo viajar el odio de su cabeza a sus vísceras y de regreso.

La mujer maltratada rumia su odio, vive esperando un cambio en los papeles y espera que su misógino se vuelva inofensivo para hacer lo que ella quiera. La mujer víctima de abuso físico y/o emocional permanece junto a "su hombre" sin tener conciencia de la situación y, mucho menos, de que en sus manos está terminar con ese infierno. Se encuentra cómoda en un círculo vicioso que considera seguro porque no conoce otra cosa. Este círculo tiene etapas muy claras: él la golpea, ella llora; él se arrepiente, le pide perdón, él le compra cosas; ella le aguanta un poco, lo perdona y seduce, espera la siguiente agresión; él le pega, y se inicia el proceso de nuevo.

La adicción a la relación provoca un miedo irracional al abandono que se suma al miedo constante a nuevas agresiones. Una mujer que escribió al programa de radio nos dice: "Sé que me hace daño y que ha convertido mi vida en un infierno, pero cuando amenaza con dejarme siento pánico. Es un miedo superior a mí, desproporcionado, es un terror helado; una sensación física que me recorre el cuerpo como un veneno y sufro: me duelen el estómago, los brazos y las piernas. La cabeza me da vueltas y no puedo pensar; mi mente se paraliza, y una fuerza gélida se apodera de mí".

Además del temor al abandono y a las agresiones, se suman otros miedos arraigados en viejas creencias. La mujer mexicana educada en el ámbito católico tiene pánico al infierno. Se siente culpable de su situación y esta culpabilidad se traduce en "soy pecadora y seré condenada"; la educación religiosa basada en el miedo ha funcionado y lo ha hecho muy bien.

El profundo y dramático sufrimiento de una mujer implicada en una relación de este tipo, así como toda la mezcla de sentimientos que la acompañan, la mantienen confundida y no puede ver claramente la realidad. Sabe que sufre, pero no entiende bien por qué. El miedo, la confusión, la ira reprimida, el profundo dolor, el estrés, la vergüenza y la culpabilidad la atormentan continuamente perdiéndola en un laberinto que no parece tener salida. La mujer golpeada siente una profunda soledad en este mundo. A causa de su situación, se aleja del trato con parientes, amigos y vecinos, hundiéndose en un infierno solitario en el que su única relación social es con su "pareja" (el agresor) y, eventualmente, con sus hijos. A pesar de vivir en un tormento, está convencida de que le es imposible abandonar a su agresor o, en la mayoría de los casos, ni siquiera desea abandonarlo. Si la violencia deja huellas, primero busca ocultarlas bajo la ropa y un buen maquillaje, antes que aceptar la agresión. Dará una serie de explicaciones con causas absurdas y poco probables para justificar las lesiones que ya no pudo esconder, sin embargo, un hecho manifiesto es que su malestar suele estar acompañado de síntomas depresivos. Aunque en apariencia pueda sonreír, se ve, se oye y se siente triste y abatida.

Además del miedo al abandono, una de las razones por las que la mujer emocionalmente maltratada no deja a su marido es el sentimiento de culpa, pues piensa que el hombre la necesita y ella considera una deserción cobarde el dejarlo. Sin embargo, mientras más tiempo permanezca en esas condiciones y cuanto más intensamente trabaje para que funcione su relación marital, mayor será la dificultad para despojarse de esa relación. Para ella está implícito tolerar el maltrato, es lo único que acredita su vida y, evidentemente, lo convierte en el centro de su vivir cotidiano. Apartarse del marido equivaldría a vaciar su existencia y, simple y sencillamente, no va a desvincularse.

Cuando una mujer concluye que debe renunciar a su agresor siente que pierde su razón para vivir, por lo cual no se decide a hacerlo. La mujer víctima del maltrato vive alrededor de su "hombre". Toda su vida se centra alrededor de las decisiones y los comportamientos de él, subiendo y bajando de acuerdo con sus estados de ánimo.

La mujer maltratada ve como única salida –y además como ilusión– la muerte de su pareja. De esta manera, no sólo le perdona sus maltratos, sino que incluso diría: "finalmente descansó". Paradójicamente, el victimario, cruel y criminal, se transforma, debido a la muerte, en un santo. El "maldito" pasa a ser el "finadito".

TESTIMONIO DE UNA MUJER DE 40 AÑOS

Cuando conocí a mi marido era un poco flojo e irresponsable pero yo pensaba que yo lo podía componer. Con mucho afecto y con el tiempo, estaba segura de que cambiaría. Antes de casarnos le presté dinero para un carro y como yo tenía mi departamento, nos quedamos a vivir ahí. Renunciaba a sus trabajos siempre por culpa de alguien más y varias veces le conseguí empleos con ayuda de mis amistades, pero nunca funcionó. Yo era la tonta que mantenía la casa, llevaba a los niños a la escuela y me encargaba de todo. Él se enfermaba o se deprimía y había semanas en que no se levantaba de la cama. A veces enfurecía y me golpeaba, pero siempre lo justificaba porque había que entender que estaba muy presionado, que le afectaba no encontrar un buen trabajo.

Nunca me pagó lo del carro y, por supuesto, jamás se lo reclamé. Un buen día ya lo había vendido y no supe qué hizo con el dinero. Yo no reaccioné hasta el día que me golpeó enfrente de mis hijos y los vi llorando. Entonces empecé a pensar en el divorcio pero no me atreví a hacerlo hasta dos años después.

Cuando se maltrata a un niño, éste siente una tremenda rabia. El enojo es una emoción humana normal y todos lo experimentamos en grado distinto, sin embargo, a muchos padres les resulta difícil tolerarlo. Cuando un niño hace una pataleta, la mayoría de los padres sienten que ya no lo controlan y recurren a la amenaza o al golpe. A la niña se le permiten muchas menos vías de escape que al niño porque de ella se espera amabilidad y un carácter dulce. La mayoría de ellas aprende a ventilar su enojo mediante la agresión verbal, cuyas formas tradicionales son el chisme, el insulto y el sarcasmo. Cuando la agresión verbal no es suficiente para canalizar el enojo, los sentimientos de cólera se quedan enterrados vivos pero, lamentablemente, cuando una emoción fuerte como el enojo se ve bloqueada en su expresión normal, no se limita desaparecer sino que encuentra otra salida. Para muchas mujeres, como para varias personas maltratadas, la salida llega a ser en su contra.

Cuando una niña se traga su enojo vuelca hacia sí misma su sentimiento colérico. Comienza a sentirse culpable de tener emociones tan fuertes y prohibidas, y se convence de que si experimenta aquellos sentimientos terribles se debe a que es una mala persona. El enojo se convierte en odio a sí misma. Entonces, para lograr el perdón de lo que siente, enojo, por ejemplo, elabora una serie de comportamientos que le permite demostrar a todos, empezando por ella misma, que en realidad es buena, digna de afecto y, sobre todo, que no es colérica. Se ha vuelto en extremo obediente, dulce y sumisa y mantiene este comportamiento durante su vida adulta; el problema con ese tipo de actitudes defensivas ante el enojo es que se establece un círculo vicioso. Cuanto más dócil es una niña, más reprimidos son sus sentimientos y sus necesidades, con lo cual su enojo aumenta y se ve obligada a ser cada vez más sumisa para poder defenderse de esta violencia. Éste es el camino que recorren todos los niños maltratados.

La víctima de relaciones destructivas debe crear conciencia de su terrible situación para que busque la forma de empezar a salir de ella. La mayoría de las mujeres víctimas de maltrato que finalmente acuden en busca de ayuda, por lo general lo hacen porque una tercera persona –una amiga, un pariente o un compañero de trabajo– las acerca a alguien que puede auxiliarlas. No es difícil detectar a la mujer emocionalmente maltratada. Se le ve estresada y deprimida, se le reconoce como mujer infeliz, pero es poco probable que su estado se asocie al maltrato emocional, pues, incluso ella misma, quizá se considere protagonista de "una historia normal de amor", en la cual el sufrimiento es uno de los combustibles de su relación. Por las explicaciones que ofrece, parece que este tipo de mujer es especialmente propensa a sufrir accidentes, pero la descripción que proporciona de sus "accidentes" es incompatible con las características de sus lesiones.

No es frecuente que una mujer golpeada acepte serlo de manera espontánea. En las clínicas de consulta externa, las lesiones agudas se curan mucho antes de que la paciente solicite ayuda contra el maltrato. El médico debe reconocer signos de un posible ataque: síntomas depresivos, disminución de la autoestima y trastornos del sueño, entre otros.

El victimario, un enorme complejo de inferioridad

La inseguridad y la baja autoestima hacen a un individuo especialmente propenso a agredir a otros, lo cual motiva que muchos hombres desarrollen una enorme necesidad de controlar su entorno dominando a su esposa. Algunos buscan mujeres con ciertas características de docilidad para maltratarlas, no quieren a una que pueda estar por encima de ellos, sin importar qué tanto podrían enriquecerse con los logros y satisfacciones que esa mujer les proporcione. Su complejo de inferioridad es tan grande que intentan demostrar que son superiores maltratando a quienes dependen de ellos.

El hombre misógino busca mantener el control de su pareja de un modo cruel, crítico e insultante, haciendo polvo la autoestima de la mujer. Con una demencia destructiva consigue aniquilar, poco a poco, la autoestima de la más segura de las mujeres. Esto lo hace a tal grado que cuando la mujer está consciente de su situación ya no tiene la más mínima confianza en sí misma ni en su capacidad de relacionarse sanamente con los demás. El misógino será el último en reconocer que maltrata a su mujer, no asume responsabilidad alguna por el sufrimiento que ocasiona a su pareja; por el contrario, más bien la culpa de todos los sucesos desagradables de la relación, del hogar, de la sociedad y hasta del mundo.

Recordemos que son las madres las primeras responsables en criar y educar machines. La típica "madre santa" que cumple los caprichos del hijito, que le recoge todo su tiradero, que le pega los botones y se desvela esperando que regrese de sus farras para ver si se le ofrece algo de comer, le enseña la lección de que la mujer está para servir al hombre. Son solamente los temas repetitivos los que forman la imagen del mundo de un niño. Si éste ve que su madre acepta los malos tratos físicos y psicológicos, aprenderá que no hay límites para lo que a un hombre se le permite hacer a una mujer.

A los agresores desde pequeños los hacen sentirse responsables de los demás, guardianes de los problemas que van ocurriendo, les fomentan una supremacía masculina relacionada con la propiedad. Sienten que las hijas y la esposa son suyas.

El hombre capaz de maltratar física o emocionalmente a su pareja es diferente del resto de los hombres. Tiene un comportamiento complejo, integrado por actitudes normales respecto de lo social. Al igual que el psicópata, tiene un afán destructivo, pero con la diferencia de localizarlo en su mujer.

Las armas que el misógino utiliza en la destrucción de su pareja son, principalmente, sus palabras y estados de ánimo. Aunque la violencia física es un extremo, el misógino suele demoler sistemáticamente a su pareja mediante el vapuleo psicológico que, desde el punto de vista emocional, es tan devastador como la violencia física. El asedio, el chantaje, el abuso verbal, las amenazas, la intimidación, las burlas, la infidelidad y la celotipia son todas formas de violencia que el maltratador utiliza para establecer su supremacía. Se trata de un hombre dispuesto a establecer una relación larga y prolongada con una sola mujer, relación aparentemente comprometida con rasgos de enamoramiento, en especial pasionalmente intensos, pero trágicamente enfocados a hacer todo lo posible por destruir a la mujer que dice amar.

El misógino se siente muy incómodo con los sentimientos de tristeza y desvalimiento, porque esas emociones lo avergüenzan. La vulnerabilidad no armoniza con la visión que él tiene de sí mismo como hombre. No obstante, estos sentimientos permanecen y, como todas las emociones fuertes, deben encontrar algún canal que les permita expresarse. Cuando su compañera manifiesta dichas emociones, el misógino las experimenta de segunda mano; además, controlar a su pareja le permite tener la sensación de que domina al niño asustado que él mismo lleva oculto dentro de sí.

Las expresiones de dolor emocional de la mujer representan la parte del hombre que el misógino más odia y más teme. Por eso, aunque le necesita para que ella exprese esta vulnerabilidad, la desprecia porque es débil o enferma. Consigue que ella muestre en su nombre los sentimientos que lo avergüenzan y después la odia por expresarlos. En segundo lugar, él podrá aliviar su miedo al abandono si hace que la mujer esté demasiado asustada como para decidirse a dejarlo; sin embargo, ella puede llegar a estar tan absorta en su propio sufrimiento emocional, que ya no consigue satisfacer la insaciable necesidad creciente de su victimario de ser cuidado. Así, de todas maneras, probablemente este hombre se sentirá abandonado.

La mujer que se considera impotente en una relación destructiva no ve las cosas como son y no se percata de que él depende de ella muchísimo más que ella de él. El misógino se siente poderoso únicamente cuando controla a su mujer. Esto le provee un sentimiento de seguridad. Su miedo al abandono es mayor y cuando se siente amenazado reacciona de inmediato, ya sea pidiendo perdón, haciendo promesas y juramentos o tornándose más violento.

Lo celos juegan un papel muy importante en las relaciones destructivas. Se trata de una de las emociones más primitivas del ser humano. El temor a ser desplazado es tan grande que puede convertirse en un infierno para quien los sufre y para la persona celada. Cuando los celos se salen de control, el individuo se obsesiona y busca desesperadamente las pruebas de sus sospechas atormentando a su pareja con continuas acusaciones y persecuciones. Si el celoso llega a confirmar sus sospechas se encontrará con la satisfacción de haber tenido la razón y, a la vez, con el profundo dolor de haber sido engañado. Cuando esto sucede la reacción violenta puede llegar hasta el asesinato.

La relación destructiva no es satisfactoria para ninguno de los dos. Desde la niñez, tanto el misógino como su compañera han aprendido a ver el mundo en función del poderoso y el desvalido, y a considerarse a sí mismos débiles e inferiores porque, no obstante la vida adulta, el hombre da la impresión de fuerza porque agrede, ataca e intimida, mientras que la mujer aparenta estar conforme y cede a sus exigencias.

Así como el misógino canaliza parcialmente sus sentimientos de dependencia por medio del comportamiento de su pareja, también ella descarga parte de su enojo a través de los estallidos de cólera de él. Cuando una mujer mantiene una relación con un misógino es frecuente que sus sentimientos de enojo aparezcan disfrazados de enfermedades. Se castiga a sí misma por tener "sentimientos inaceptables" con enfermedades, depresión o adicciones físicas, pero también puede albergar un deseo inconsciente de castigar a su pareja mediante su propio sufrimiento. Es probable que la mujer intente hacer llegar diversos mensajes a su compañero por medio de síntomas físicos.

Una mujer puede creer que, como sufre, tiene derecho a que la cuiden y se compadezcan de ella; y lo más grave es que lo considere una justificación para no emprender una acción encaminada a mejorar su vida. Por otro lado, es muy raro que este hombre se muestre sensible a los sufrimientos de su compañera porque, si los reconoce, su actitud probablemente será la de declarar que eso no tiene nada que ver con él. Si ella tiene un colapso físico o emocional, puede servir incluso para alimentar el desprecio que le tiene por su debilidad. A sus ojos, se pone patética y exagera las cosas, además de ser una inútil.

Por muy sumisa que sea una mujer y aun cuando tenga una gran capacidad para convertir su rabia en sufrimiento, no puede contener la cólera que le produce la crueldad de su pareja y ésta sale al exterior de diversas maneras, a la vez sutiles y hostiles, como agresiones verbales encubiertas o comentarios hirientes. Estas actitudes sólo sirven al misógino como nuevas justificaciones para ser cruel. Algunas mujeres expresan sus sentimientos de enojo al dejar de hacer ciertas tareas, por ejemplo: olvidar las pequeñeces que son importantes para su pareja; tener dificultades para tomar las decisiones más simples; adquirir la irritante costumbre de llegar tarde, o aislarse y desconectarse con frecuencia, lo que es una manera poderosa para expresar enojo. Otras, se muestran frías retrayéndose en el silencio. Una mujer confiesa que no se permitía sentir un orgasmo como una manera de echarle en cara a su pareja que le faltaba virilidad pues era incapaz de darle placer. Todas esas expresiones de enojo son relativamente débiles comparadas con los continuos estallidos de los misóginos.

En México es común que los jóvenes se casen y se vayan a vivir con los padres del marido. En esta situación la figura femenina, es decir, la suegra, suele ejercer el poder al interior de la familia y el padre es quien experimenta los estragos de la violencia psicológica. Cuando el marido ejerce la violencia física en contra de su compañera en el interior de su cuarto, con frecuencia es tal el escándalo y la solicitud de auxilio de la mujer, que es evidente para todos; sin embargo, la desesperante pasividad de los suegros se justifica argumentando: "Ella da motivos, por eso le pega". Si acaso intervienen le aconsejan a la nuera que lo obedezca y ya no le dé disgustos; al hijo tal vez le sugieran que no la golpee tan fuerte porque ella podría denunciarlo. La suegra siempre protege al hijo y se pone de su parte.

Llamada al programa de radio de una mujer
Maltratada

Mi marido me trataba muy mal. Cuando no hacía lo que él quería me aventaba gasolina y cerillos. Ya nos íbamos a separar cuando me embaracé por segunda vez porque me violó. Mi hija de cuatro años, la de ese embarazo, no puede hablar bien.

Era madre soltera cuando lo conocí, tengo un hijo de 19 años producto de un embarazo que tuve a los 16 con un novio que tenía 27, con el que no me casé porque mi mamá no lo permitió. Ella decía que no me podía casar porque prácticamente era yo quien mantenía a la familia. Era operadora telefónica en una empresa importante y ganaba muy bien. Trabajé desde chica, lavaba o cuidaba niños; desde niña me hicieron responsable de aportar algo a mi familia. Cuando conocí a ese muchacho mi mamá lloraba, se desmayaba, se le bajaba la presión, decía que le iba a dar un infarto, que si me casaba ella se iba a morir. Él me propuso matrimonio cuando me embaracé. No sé qué pasó, pero mi papá habló con él y después de eso no volvió a llamarme, por eso no me casé. Después me enteré de que él y su familia me estuvieron buscando y mi mamá les decía que ya no vivía ahí y que dejaran de estar molestando. Después él se casó y quería que fuéramos amantes, pero yo no quise.

Cuando conocí a mi marido él era amable, de hecho así se comporta ante la gente y se ve muy tranquilo, hasta mi familia me dice que vuelva con él, que la que está mal soy yo. Fuimos novios como un año hasta un 14 de febrero que se le pasaron las copas e insistió en que me quedara con él, tuvimos relaciones sin protección y quedé embarazada. Habíamos planeado casarnos y esto aceleró el matrimonio. Esa vez no le pedí permiso a mi mamá, aunque estaba muy enojada.

Ya casada, empecé a ver que él era muy dependiente de su familia. Ahora me he dado cuenta de que en realidad él siempre me agredió. Me decía cosas como "narizona asquerosa", "me das asco" y otras palabras así. Yo no podía contárselo a mi mamá porque seguro iba a decir: "Ahora te aguantas". Sus agresiones fueron subiendo de tono; primero eran palabras y luego empezaron los golpes. Cuando alguien me preguntaba qué me había pasado siempre daba excusas tontas, les decía que me había pegado con la escoba o con la puerta. Nadie me creía, pero tampoco me lo decían. Todos sabían que me golpeaba, y hasta llegó a hacerlo enfrente de su familia, pero no intervenían. A mí siempre me cantaban que debía estar agradecida con él porque me había recibido con un hijo. Lo malo es que a veces me lo creía y también que él iba a cambiar porque me pedía perdón aunque decía que yo merecía sus maltratos.

La violencia creció tanto que cuando me iba a ir de la casa me encerraba con llave. Era entonces cuando me rociaba con gasolina del carro y me empezaba a aventar cerillos. A mí me daba mucho miedo y me quedaba paralizada como si no viera ni oyera. Eran minutos horribles que parecían horas. Mis hijos desde su cuarto veían todo, porque la casa no tiene puertas interiores. Yo tenía mucho miedo de que les fuera a hacer algo porque agarraba un hacha que tenía en el patio y entraba rompiendo todo.

Afuera era un hipócrita y resultaba que yo era la mala. Esto lo decía su familia y como yo era muy idiota le daba mucha importancia. Llegaba un momento en que yo me creía las cosas que decía, se justificaba con que lo hacía por mi bien, que yo estaba mal porque no era como sus hermanas que son trabajadoras, calladas y sometidas. Él presionó para que me saliera de trabajar y me quedara en la casa. Cuando yo no estaba de acuerdo con hacer algo él me pegaba; después hacía lo que él quería. A veces me echaba a la calle junto con mi hijo.

Durante mi último embarazo él me golpeaba a pesar de que me había forzado. Mi mamá se enteró porque mi hijo la llamó y junto con uno de mis hermanos fueron como a las tres de la mañana y me encontraron golpeada y en la calle. Me dijeron que estaba muy mal y que, o tomaba una decisión, o ellos iban a sacar a los niños de ahí. Mi marido huyó por la puerta de atrás y tomé a mis hijos y me fui. Fui a poner una denuncia en la Procuraduría por golpes y maltrato. Recuerdo que iba toda golpeada, pero los funcionarios se rieron de mí y me dijeron que me fuera a mi casa a hacer la comida.

Entré a un grupo de Neuróticos Anónimos y eso me ha ayudado a entender lo que antes no comprendía. Mi hija de 14 años me culpa por nuestra separación. No entiendo por qué ella siente tanto rencor hacia mí. Dice que soy la mala, que no supe atender a su papá y me culpa. Cuando me separé, él nos buscó hasta que nos encontró y se plantó afuera de la escuela a decirle a mi hija que nos quiere, nos extraña y que está muy triste de que yo lo abandoné. Una vez mi hija dijo que me odiaba y se fue a vivir con su papá, pero al poco tiempo volvió. Ahora paga gente para que me golpee, utiliza el dinero que le da su papá para hacerlo. Cuando me separé creí estar haciendo lo correcto. Vivo independiente pero sufro mucho porque mi hija me odia y porque todos me dicen que debo regresar con él.

Hombres maltratados, el encanto de la sirena

> *Rara, maligna y fatal,*
> *como una perla negra eres tú.*
> *No puedo vivir sin tu cariño,*
> *sin tu mirar.*

Desde tiempos antiguos la gente del mar ha narrado las leyendas de las sirenas. En la mayoría se les ha descrito como seres hermosos que seducían a los hombres con poderes de encantamiento para después darles muerte. En algunas historias se les veía peinando sus hermosas cabelleras y cantando con dulzura; en otras, la sirena aparece fingiendo ser una mujer que pide ayuda porque está ahogándose, el caballero rescatador se lanza al agua y nunca vuelve a salir.

Hay muchas relaciones destructivas en las que los papeles se dan a la inversa, el hombre es el dependiente y la mujer lo domina y agrede. El inicio de esta relación es también un enganche en el que el hombre cree que se enamora y la mujer es como la mitológica sirena que lo atrae con un dulce canto. Pero poco se sabe de estos casos porque el silencio que guardan los hombres maltratados es mucho mayor. En una sociedad predominantemente machista les resulta vergonzoso confesar que son víctimas de maltrato por parte de su mujer. Palabras como "mandilón" se escuchan en tono de burla cuando un hombre parece estar dominado por su mujer. Sin embargo, al igual que en la relación de un misógino con una mujer dependiente, muchos hombres son víctimas de mujeres que ejercen la violencia contra ellos con fría crueldad y, siendo adictos, no pueden dejarlas.

TESTIMONIO DE UN HOMBRE DE 40 AÑOS

De jóvenes nos divertíamos mucho presenciando las escenas de nuestros vecinos. Él era un director de teatro bastante reconocido que le gritaba a su mujer cada vez que notaba la presencia de alguien en la entrada del edificio. A veces la insultaba porque se les había hecho tarde o por cualquier otro motivo. La mayoría de los vecinos pensaban que era un macho maltratador y veían con lástima a la mujer. Pero la historia era muy diferente. La ventana de su cocina estaba frente a la ventana de la nuestra en el último piso del edificio. Cuando los escuchábamos llegar, nosotros nos poníamos ahí sin encender la luz y empezaba la función. Ella le gritaba y le daba órdenes y él obedecía. Era un mandilón al que ponían a cocinar, a lavar los platos y a hacer la limpieza. Pero eso no era todo, varias veces presenciamos cómo lo agarraba a golpes con una enorme cuchara de palo y él sólo pedía perdón. Al día siguiente, se les veía en la planta baja con los papeles invertidos, él gritándole a ella y tratándola como perro y, por la noche, se repetía la misma escena sin fallar. Siempre creímos que tenían un acuerdo: "Yo te maltrato en público y tú te desquitas en la casa", o al revés.

Hay muchos casos en que la mujer ejerce la violencia en forma directa, utilizando enseres domésticos como sartenes, planchas, adornos, etcétera y, por consiguiente, ocasionando lesiones de consideración en contra de su pareja; también se las arreglan para que familiares o amigos "le pongan una madriza" a su marido.

La violencia psicológica y emocional que ejercen muchas mujeres contra sus maridos suele ser muy sutil y tremendamente devastadora.

TESTIMONIO DE UN HOMBRE QUE FUE VÍCTIMA DE LA PERVERSIDAD

Lo que narro aquí ocurrió hace más de 20 años. Tenía 33 años y me sentía Juan Camaney, creía que ya había aprendido todo de la vida. En aquel entonces, iba a una terapia porque me había divorciado. A pocas cuadras del lugar de mi terapia vivía esta mujer y cierto día la vi en la calle. Recuerdo que pensé: "Con una de ésas me voy a curar". Vi que ella se había quedado parada en la esquina como esperando el autobús, entonces me di la vuelta y le ofrecí un aventón. Después me contó que había aceptado el aventón porque yo se lo había ofrecido de manera muy simpática y sin malicia. A lo mejor soy un ingenuo crónico debido a que trabajo con niños.

La llevé a donde iba y así empezó nuestra relación. Platicamos sobre lo que hacíamos y dónde vivíamos, ella mencionó que le había hecho reír que yo le haya enseñado todas mis credenciales, tanto escolares como de trabajo.

Llevábamos apenas 15 días de conocernos y nos fuimos juntos de viaje a Zitácuaro. Ella lo propuso y yo me sentí afortunado, así que acepté. Para mí, que me había casado a los 21 y me había divorciado a los 28, que me llegara una oportunidad así de fácil era algo maravilloso.

Ya en la habitación, ella se metió a bañar y, como se tardaba, decidí bañarme también. Mi sorpresa fue que me recibió con agua helada y, como todos saben, el agua fría lo encoge todo. En ese momento no me pregunté por qué estaba el agua tan fría. Más tarde, en retrospectiva, vi que ése fue el primer indicio de su manera sutil de agredirme. En lugar de decirme directamente que no quería que me metiera, puso el agua fría. Hasta años después me di cuenta de que eso había sido intencional, aunque en ese momento no lo pensé así.

En ese tiempo yo vivía solo y apenas estaba adaptándome a mi situación. Empezamos a llevar una relación, en cierta forma de pareja. Al principio pasaba la noche en su casa y poco a poco fui dejando algo de ropa para cambiarme porque ella vivía muy cerca de donde yo trabajaba. En una ocasión llegué a buscar mi ropa cuando ella no estaba y entré a la casa con la llave que me había dado. De pronto llamaron a la puerta y ahí estaba ella vestida con mi ropa. Dijo que me quería dar una sorpresa y ni siquiera cruzó por mi mente que eso era otra señal de que estaba mal.

Ella decía que se dedicaba al arte, pero en ese momento no tenía trabajo y se me hizo práctico mudarme a su casa y ayudar con los gastos. Ella aceptó y empezamos a vivir juntos.

Un día le pregunté si quería que le presentara a mi hijo y me respondió: "A quien le tienes que preguntar si quiere conocerme es a él". En ese momento me pareció que su respuesta era muy madura y centrada. Después entendí que en realidad no quería que se lo presentara y que sólo se estaba zafando.

Era muy inteligente y siempre utilizaba, elegantemente, un doble lenguaje para conseguir lo que quería y manipularme. Muchas veces lo que en verdad quería era fastidiarme, pero yo no me daba cuenta, estaba convencido de que teníamos una buena relación.

Finalmente le presenté a mi hijo y cuando le pregunté a él qué le había parecido me dijo: "Es alucinante". Yo no le di mucha importancia a su comentario porque apenas tenía 12 años.

Poco a poco y casi sin percibirlo, mi relación con ella se fue volviendo caótica. Ahora la relaciono con la película *Atracción fatal*. Le daba por pasearse completamente desnuda (tenía muy buen cuerpo por cierto) pero no dejaba que yo la tocara. Hacíamos el amor cuando ella quería. Decía que, en ocasiones, yo desprendía un olor irresistible y ése era el momento. Entonces hacíamos el amor sin importar si yo lo deseaba o no. Años después, comprendí que no existía tal olor, era un invento de ella para manipularme a su antojo, y andaba desnuda a propósito para enloquecerme. Recuerdo que íbamos al cine a ver películas de horror en las que se mostraban escenas de una crueldad escalofriante, y ese mismo día quería hacer el amor.

Pasaron meses antes de que yo cayera en cuenta de que presentaba ciertas alteraciones. Actuaba como si fuera una persona muy abierta, aunque no lo era tanto, y también mostraba algunas aberraciones sexuales.

Siempre ocurrían cosas inesperadas y eso la hacía muy interesante para mí. Por un tiempo jugamos a darnos sorpresas, pero las que yo le daba siempre provocaban un conflicto. Una vez que quise verme muy romántico, subí a la azotea, y bajé con un lazo hasta su ventana una bolsa con merengues y bolas de papel en las que le había escrito poemas de amor. Ella escuchó ruidos en la azotea y cuando vio la bolsa y supo que era yo, se puso furiosa y armó un escándalo. Lo que pensé terminaría en un momento muy romántico, acabó en *Los merengues de Chernobil*.

También cuando viajábamos había problemas. Una vez, estando en un hotel de playa, cerró la puerta con llave y no me dejó entrar. Después de haber intentado convencerla de que abriera, decidí bajar al lobby a buscar a alguien que tuviera la llave. Cuando subí con el conserje la puerta estaba entreabierta y quedé como un tonto. Yo creía que al viajar la pasaríamos muy bien, pero al contrario: ella se enfurecía y me agredía aún más.

Una frase que ella siempre repetía era: "Yo no sé lo que va a pasar mañana", detrás de esa frase y de ciertas actitudes de coqueteo con otros hombres en alguna fiesta, había una amenaza velada de infidelidad que me inquietaba pero no entendía del todo.

Tuvo que pasar más de un año para que yo empezara a considerar que había sido un error haberme metido en su casa, pero ya no sabía cómo salirme. Cuando ella veía que la relación peligraba, se transformaba y era muy dulce, seductora y atractiva. Había muchas cosas en la relación que la seguían haciendo muy interesante, como el nivel intelectual de nuestras conversaciones, así que cuando se ponía seductora yo me olvidaba de dejarla y pensaba que ya todo iba a estar bien. Después, en la medida en que me acercaba más a ella, como que le daba pánico y de nuevo empezaba la pesadilla. Era un círculo vicioso en el que siempre volvíamos al mismo lugar. Pienso que mi error fue no haber puesto un alto mucho antes.

Hice varios intentos de irme, pero ella reaccionaba con tal violencia que me asustaba y terminaba quedándome. Fue hasta que pasó un año y diez meses de vivir juntos cuando por fin la dejé. Todo había llegado demasiado lejos y un día escuché una voz en mi interior que me decía con urgencia: "Vete de aquí". Así que lo hice, sin que me importara dejar en su casa gran cantidad de cosas que había comprado y que todavía estaba pagando.

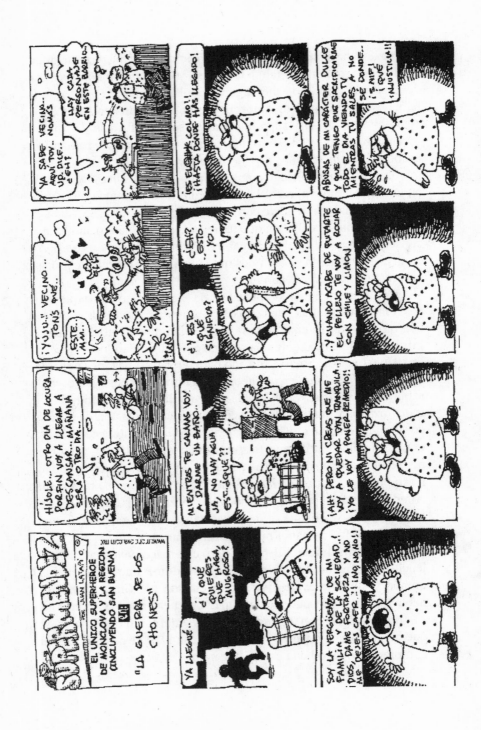

La danza macabra del divorcio no consumado

La mujer violenta no tolera la frustración y, menos aún, ser rechazada. Cuando la víctima de sus agresiones la deja, se ve arrebatada por una furia intensa, su deseo de venganza es abrumante y día con día alimenta su odio y su resentimiento. La destrucción de quien la abandona se vuelve su único objetivo en la vida y se lanza al ataque como un tornado que arrastra de paso a sus hijos y hasta a ella misma.

En nuestro país son miles los casos de mujeres que, adoptando el papel de víctima, se valen de las leyes para destrozar a su víctima. Cuando hay hijos de por medio, se convierten en su arma más poderosa y los utilizan sin importarles el grave daño que les infligen. Una de las técnicas más perversas es ponerlos en contra del padre: los convencen de que es un maldito, que los ha abandonado, que no le importan, que no les provee lo suficiente, y así los hacen víctimas de un chantaje sutil, pero constante. La cuestión económica suele ser la columna vertebral de las agresiones. Demandan pensiones alimenticias exorbitantes que alcanzarían para "alimentar" a un orfanato completo. Con el pretexto de que la casa es para los hijos hacen todo por quedarse con ella y envían a los niños a pedirle a su padre cualquier cosa que requieran. Las acusaciones de "mal padre" que difunden por mar y tierra –y se arraigan a la vez en los hijos– hacen que el padre se sienta más culpable de lo que ya se sentía por haber tenido que dejar a sus hijos. Los niños captan muy pronto esta culpabilidad y aprenden a chantajearlo. Para ellos se convierte sólo en una fuente de ingresos que debe aprovecharse porque está en deuda con ellos.

Si el padre rehace su vida, la ira se triplica y se aviva la llama del odio que la madre trata de mantener en los hijos diciéndoles que, encima de todo, ahora le da a otra lo que a ellos les correspondería. La situación estalla cuando, además, hay hijos en el nuevo matrimonio ya sea de ambos o, peor aún, sólo de ella. Entonces se ha duplicado el blanco de sus ataques y se las arregla para fastidiar a la nueva mujer. Supe de una 'ex mujer' que fue a gritar insultos a la puerta del edificio donde vivía su ex marido recién casado y, en otra ocasión, se robó el automóvil de la nueva esposa aprovechando su ausencia.

Al hombre que ha logrado apartarse de su relación destructiva le toma tiempo recuperar su autoestima y no es capaz de manejar la situación. Algunos jamás lo superan y esta condición se prolonga indefinidamente, aun cuando los hijos sean mayores de edad. Estas mujeres viven tan obsesionadas con su venganza que difícilmente vuelven a casarse, prolongando por tiempo indefinido su batalla campal. El daño psicológico que se causa a los hijos es tremendo. Por un lado, han sido utilizados por la madre, no amados, y sabemos que las dos cosas no se combinan, porque una de las características del amor es no utilizar al ser amado. Por otro lado, se les ha enseñado que la madre es quien los ama y el padre no los quiere. Pero, en el fondo, como la realidad no coincide con lo aprendido, se encuentran muy confundidos y esta duda acerca de lo que es el amor les causará problemas en sus futuras relaciones.

Un estudiante de psicología cuenta que pasó su carrera estudiando casos de *otros*, pero más adelante, cuando quiso ser psicoanalista y tuvo que someterse él mismo a un tratamiento, se dio cuenta de que en realidad odiaba a su madre y vio claramente cómo ella lo había utilizado de la manera más perversa. Nunca había habido pruebas de la *maldad* que le atribuía a su padre y, aunque no lo amaba, hubiera querido tener la oportunidad de relacionarse con él, oportunidad que su madre le había quitado. Ocurrió hace cinco años y aún narra su experiencia con asombro:

> No es que ahora quiera idealizar a mi padre, es simplemente que antes las piezas no encajaban. Mi padre era un abogado muy querido, la prueba fue que en su funeral la capilla del velatorio se llenó de coronas de organizaciones de obreros y campesinos a los que había ayudado. Y no eran de compromiso, porque había mucha gente que lloraba. Mi madre decía que era un tacaño, pero jamás me negó nada, nos dejó una casa y me pagó las mejores universidades. Por otro lado, ella se dedicó a no hacer nada, nunca hizo un esfuerzo para lograr algo y se pasaba el tiempo rumiando su odio o envenenándome contra él. Y es que realmente se trata de un veneno que todavía no he logrado sacar por completo de mis venas. Dejé de aborrecer a mi padre súbitamente, pero aún no logro dejar de odiar a la medusa de mi madre.

En la mayoría de las mitologías encontramos la figura de la madre como dadora y destructora de vida. Las madres devoradoras han existido siempre y, aunque aparentan ser normales ante los ojos de todos, son seres voraces que nunca se sacian. Es precisamente esa voracidad combinada con la ira la que las lleva a destruir la vida de los otros y la suya. Hay que recordar que el carácter de una persona sádica siempre justifica sus acciones, considera que tiene la razón y no tolera la crítica. Su exagerado narcisismo se ve profundamente herido cuando aquél a quien dominaba tiene el valor de dejarla y, a partir de ahí, lo único que la motiva es su sed de venganza. Pero pocas veces se les ve iracundas, por lo general se muestran como víctimas maltratadas para conseguir el desprestigio social de su ex marido. Si uno no conoce el cuadro completo se puede dejar engañar y hasta darles la razón. Estas mujeres en realidad nunca se divorcian. No son capaces de soltar el pasado para poder así disfrutar de una vida nueva. Su mundo y su mente siguen girando alrededor de su ex marido, no importa qué tan lejos esté.

TESTIMONIO DE UN HIJO DE 50 AÑOS

Mis padres se divorciaron cuando apenas tenía seis años. Éramos dos hermanos, pero nos repartieron; a José se lo quedó mi papá en el norte y a mí me trajo mi mamá a vivir a la capital. Rentamos un departamento humilde y ella decía que hacía grandes sacrificios para que yo pudiera ir a una escuela privada. Nunca volví a ver a mi padre más que una sola vez que me enviaron a pasar una semana a su casa cuando tenía como doce años. La situación no era fácil, odiaba a mi padre tal y como mi madre se lo había propuesto. Mi hermano, un año mayor que yo, me odiaba a mí porque creía que mi madre me había elegido y a él lo había abandonado. Los intentos que hizo mi padre esos días por relacionarse conmigo fueron un rotundo fracaso.

Estando todavía en preparatoria, inicié un negocio y me fue muy bien. Hice dinero rápidamente y, sin cuestionarme, empecé a mantener a mi madre como una reina; en nuestra relación estaba implícito que ésa era mi responsabilidad. Me casé y tuve tres hijas que adoro, pero muy pronto el alcohol acabó con todo. De la noche a la mañana estaba quebrado, mi mujer me echó de la casa (con mucha razón) y ya no pude sostener a mi madre. Mi hermano se había convertido en corredor de Bolsa y vivía en Estados Unidos con buenos ingresos económicos. Le pedí que ayudara con la manutención de mi madre y empezó a enviar puntualmente una mensualidad de 100 dólares, creo que lo hacía como mandando el mensaje de que le estaba dando limosna porque podía haber enviado más. Mi madre recibía una bofetada de 100 dólares al mes que se tenía muy merecida. Mi hermano se suicidó el año pasado, dos meses después del suicidio de su mujer.

Pero existe otro estilo de agresión económica que funciona a la inversa del caso anterior. La mujer que tiene mejores ingresos que el marido, o que goza de buena herencia, combate con el dinero procurando la humillación constante del padre ante los hijos.

Un amigo se divorció de la hija de un hombre millonario, uno de esos patriarcas que controla a toda la familia con su dinero al estilo Corleone. La ex mujer, para castigarlo de verdad, se llevó a los hijos a vivir a Los Cabos, él tuvo que permitirlo porque ella les vendió muy bien la idea del paraíso a los niños. En la demanda del divorcio solicitó la pensión alimenticia que le corresponde por ley, pero resulta que ese porcentaje importante del sueldo de mi amigo son cacahuates junto a lo que ella tiene. Él gasta una fortuna en boletos de avión y cuartos de hotel en una de las zonas turísticas más caras para poder ver a sus hijos dos fines de semana al mes. Cuando él le regala una bicicleta a uno de los niños, la semana siguiente ella se los lleva en el avión de papi a San Diego y les compra la superbicicleta italiana más cara y aerodinámica que existe. Lo mismo hace con la ropa y con todo lo demás.

Ella trata de enloquecerlo, sobre todo cuando se entera de que sale con alguien. Entonces llama por teléfono repentinamente y siempre lo hace entre semana. Le dice: "Te estoy poniendo a los niños en tal vuelo porque me voy de viaje. Por cierto, a Marianita como que le quiere dar algo". Mi amigo no puede protestar porque le dice: "¿No que los extrañas mucho? Si no puedes le llamo a mi papá y él va por ellos". El chantaje siempre funciona, si el abuelo Corleone se encarga de ellos, él no podrá verlos y, además, les dirá que su papá no quiso verlos. Así que mi amigo hace circo, maroma y teatro para llegar al aeropuerto a tiempo. No puede enviar a algún familiar porque los niños ya están muy bien entrenados para sentirse abandonados y rechazados si su papá no está ahí. De pronto se ve cancelando citas, llevando a los niños a su trabajo, corriendo al hospital porque Marianita llegó ardiendo en fiebre, y tiene que ser un buen hospital, cualquier otra clínica es señal de que no la quiere lo suficiente. No puede protestar por las cuentas porque siempre le responderán: "Si tú no puedes, el abuelo se encarga".

La hija mayor cumplió 17 años, el abuelo le dio un carrazo y una tarjeta de crédito, esto deja a mi amigo desarmado y al abuelo con las riendas y el control sobre sus hijos. Con él decidirán a qué universidad del extranjero irán a estudiar y en dónde vivirán después, ya que él les regalará la casa. Marianita contará con las mismas ventajas que ha tenido su madre, podrá manipular con su dinero al baboso que se quiera casar con ella y éste, o se somete al clan o acabará como mi amigo con unos hijos que lo verán como el padre pobretón.

Muchos padres divorciados se sienten tan culpables de negar a sus hijos una verdadera familia que olvidan cómo era su relación. En su afán por desembarazarse de la culpa se abocan a consentir los caprichos de sus hijos y se olvidan de educarlos. Uno de los juegos entre padres divorciados y sus hijos es el que podría llamarse "gallina ciega". Aquí, uno de los padres tiene los ojos vendados e intenta satisfacer su necesidad de amor y compañía de adultos "atrapando" a sus hijos. Pero no se puede demandar a un niño las satisfacciones que sólo una persona adulta proporciona. Solemos escuchar: "Ahora que tu papá se fue tú eres el hombre de la casa", o vemos también a estos padres coqueteando con sus hijas quinceañeras llevándoles flores o invitándolas a cenar en restaurantes costosos; o esperan que la hija sustituya a la madre haciendo de su pareja en eventos sociales. Estos padres colocan a sus hijos en una situación intolerable porque esperan que se conviertan en adultos de la noche a la mañana y se inviertan los papeles, ¿quién debe cuidar a quién? Un "gracias a Dios que te tengo a ti" es uno de los peores chantajes. La madre ha perdido a su pareja y quiere apoderarse de la vida de su hijo. Otro juego confuso para los hijos es cuando uno de los padres trata de convertirse en el "mejor amigo". De pronto se viste juvenil y desea formar parte de las actividades de los jóvenes. Para los adolescentes es terrible, por un lado, el padre o la madre que lo avergüenzan frente a sus amigos y, por otro, se quedan huérfanos porque uno de sus padres dejó de serlo para convertirse en adolescente.

Todas las maneras en que la madre trata de rebajar al padre hieren profundamente al niño, la madre no parece darse cuenta de que le está quitando al niño una de las dos personas más importantes en su vida. Los comentarios: "El infame de tu padre", "Es un irresponsable y un borracho", torturan al niño que sufre porque él ama por igual a su padre y a su madre, pero se ve obligado a "elegir" y preferir a uno de los dos. A medida que el juego se prolonga crecen su ansiedad, desvalimiento y confusión. Como la guerra ha sido declarada y su madre ha enviado un mensaje tipo Bush: "O estás contra él o eres mi enemigo", el niño que aún quiere a su padre tiene que tener mucho cuidado. No podrá decir que lo pasó bien con su papá o elogiarlo de alguna manera, mucho menos podrá demostrar afecto por su novia porque tendrá que pagar un precio muy alto.

Cuando la ex mujer vengadora percibe algún indicio de simpatía por el papá redobla el ataque. Probablemente pasará los siguientes días o semanas enumerando los defectos, errores y pecados del padre, mostrará la gran desdicha que le ocasionó a ella y a los niños y no detendrá su campaña iracunda hasta que el niño muestre algún indicio de desprecio por el *maldito*. Hay madres que utilizan a sus hijos como espías. El niño tiene que relatarle todo lo que hicieron el fin de semana, cómo es el nuevo departamento, si está limpio o es un desastre y, sobre todo, a quién vieron y cómo es. Muchos niños, para llevar la fiesta en paz, aprenden a informar lo que su madre quiere escuchar y mienten. Hablan de un fin de semana aburrido, un departamento desordenado sin comida en el refrigerador y, lo más importante, que no parece haber ninguna amiga en el horizonte.

En el peor de los casos, ambos padres no han sido capaces de consumar el divorcio y la guerra se lleva a cabo desde los dos bandos. Los niños son utilizados como granadas lanzadas para ir a estallarse en el blanco y, a la larga, estallan. Pasan un tiempo intentando ser los "negociadores para la paz", pero pronto se dan cuenta de que no funciona. Como sienten que sus padres los emplean para ganar la guerra, más que para darles un trato justo, maquinan sus diversos métodos para obtener seguridad, como Pulgarcito que iba tirando piedritas para encontrar el camino de regreso a su hogar. Empiezan a librar su propia batalla porque quieren ser tomados en cuenta como personas y no ser sólo utilizados como armas. Han percibido las debilidades de ambos padres y tratan de dar en esos blancos. El hijo de una madre preocupada por el "qué dirán" hará una escena escandalosa en público o cometerá la peor "falta de educación".

Un juego favorito de algunos hijos en esta situación es utilizar el chantaje: "Si tú no me lo compras mi papá me lo dará", "Si no me das permiso me voy a vivir con mi papá". Se vuelven expertos en manipular a sus padres para obtener lo que desean. Cuando juegan así significa que su confianza básica en la capacidad de sus padres para amarlos y cuidarlos ha mermado y que sólo pueden conseguir el amor y el cuidado que desean por medio de manipulaciones. Lo más grave de estos juegos es que los padres caen redondos y sus respuestas terminan por dañar más la autoestima del niño. Es importante señalar que estos niños aprenden un método de supervivencia que no les servirá en el mundo exterior. Cuando llegan a la vida adulta no saben cómo relacionarse ante el asombro de que el mundo, los amigos y la sociedad no responden a sus manipulaciones.

Cuando la violencia se ejerce de manera simultánea entre ambos integrantes de la pareja los efectos van siendo cada vez más dañinos, hasta que alguno de los dos es enviado a algún centro hospitalario. De continuar la relación, lo más seguro es que uno de los dos acabe en la cárcel y el otro en el panteón. Las consecuencias de una relación destructiva afectarán gravemente a los hijos y demás miembros de la familia. Mediante el comportamiento de los hijos, es posible detectar un caso de violencia conyugal. De hecho, ocasiona profundos efectos negativos en los menores que presentarán dificultades escolares, alteraciones del sueño, mala interacción social (por ejemplo agresión), depresión y ansiedad.

En una relación destructiva el mayor peligro radica en quedarse en ésta. El absurdo y la paradoja de la dependencia de una relación destructiva está en el hecho de que la víctima se siente más segura y cómoda enganchada en la relación a pesar del precio que paga en su salud emocional y física. En el caso de las parejas homosexuales sucede exactamente lo mismo cuando uno de sus integrantes es violento y el otro dependiente y caen en el mismo juego que las relaciones destructivas entre hombre y mujer. A veces ejercen la violencia física y otras la violencia psicológica expresada en palabras, silencios o actitudes. Una relación destructiva puede terminarse, pero si la persona no se cura corre el riesgo de repetir el mismo esquema y con seguridad encontrará una pareja con las mismas características, que finalmente la someterá.

III. Niños maltratados

Y mientras las monjas de día me hacían memorizar: HONRARÁS A TU PADRE Y MADRE, mi padre me violaba por las noches y mi madre lo permitía.

Fue hasta principios de los años sesenta cuando se empezó a hablar del "síndrome del niño maltratado". Antes, no se había reconocido la violencia que sufren los menores dentro del hogar. Se consideraba que el padre y la madre, al tener la función de educar, hacían bien en utilizar los azotes como un método educativo legítimo. "Educar a golpes" ha sido una costumbre aceptada y recomendada. Por siglos, con este pretexto se ha abusado de una crueldad irracional hacia los niños.

En realidad, cuando un progenitor golpea a su hijo está descargando su ira reprimida contra un ser indefenso al que puede acorralar fácilmente. Las palabras: "Lo hago por tu bien" no son más que una mentira para justificar la brutalidad. Los golpes no educan ni jamás han formado a nadie. Lo que hacen es herir y fomentar el odio, causando un daño emocional y psicológico que perdura muchos años después de que las heridas corporales han sanado.

En nombre del amor se cometen abusos imperdonables. La justificación: "Lo hago porque te quiero", provoca una distorsión aberrante en el niño sobre el concepto del amor. Los padres asumen que el hijo es de su propiedad y ejerciendo un control brutal, el niño crece sin autoestima. Se vuelve incapaz de reaccionar porque la fuerza y autoridad aplastante de los adultos lo silencian y puede incluso hacerle perder conciencia.

También la ignorancia juega un papel fundamental en nuestro país. Una señora que llamó al programa de radio confesó abiertamente que golpeaba a sus hijos; cuando se le preguntó por qué lo hacía simplemente respondió que así le pegaban a ella de niña; cuando se le dijo del daño que les estaba causando mencionó que también se lo habían hecho a ella.

El cónyuge del padre agresor también es su víctima y no presta apoyo al menor maltratado haciendo que se sienta solo en el mundo. Con frecuencia defiende a su pareja y trata de excusar o justificar su conducta. Así, se convierte en cómplice de la violencia y la situación se agrava cuando se retira para dejar al menor solo frente a los ataques de su verdugo.

El padre o madre violentos buscan constantemente una justificación para la violencia que sienten y la encuentran. El niño se vuelve incapaz ante los continuos ataques y esta misma torpeza es utilizada como pretexto para un ataque más. El menor va perdiendo su individualidad y se convence de que haga lo que haga la cosa resultará mal.

Los niños con frecuencia y ante el temor de sufrir peores consecuencias se ven obligados a mentir en relación con la causa de sus lesiones: "Me caí de la bicicleta", "Estaba jugando arriba de la barda", "Me pegaron unos niños". Otras veces miente por vergüenza, pero lo que lo avergüenza no es que su madre sea una bestia, sino que él cree que las marcas son la prueba de que es malo. La mayoría de los niños golpeados quieren creer que sus padres los aman y justifican los golpes culpándose a sí mismos. En ocasiones, el progenitor violento elige una sola víctima entre varios hijos. Todos sus defectos serán resaltados y se le comparará con sus hermanos cada vez que cometa el más leve error. Este niño no contará con el apoyo de sus hermanos que difícilmente percibirán las agresiones.

Testimonio de un hombre de 32 años

Mi madre la tenía conmigo. Cuando estábamos a solas me preguntaba por qué no podía ser como mis hermanos, definitivamente yo era el malo, el que le amargaba la vida. Todo su lenguaje era con indirectas como: "Cuando un niño es bueno y quiere a su madre no le causa disgustos". Yo era torpe, pero hacía todo por agradarla, sin embargo, nada funcionaba.

A los cinco años rompí un florero accidentalmente. Mi madre reaccionó como loca y me persiguió golpeándome con la escoba. Cuando llegaron los demás comenzó a llorar por su florero enfrente de todos y les decía: "Tuvo que escoger mi favorito, el que me dio mi abuela que en paz descanse". Me hizo sentir como un criminal y todos parecían darle la razón y la consolaban. Recibí muchas miradas de censura y después, a través de los años, jamás ha perdido la oportunidad de recordar el delito. Lo narra una y otra vez, lo mismo que el día que se quedó sin ir de viaje, ya con las maletas hechas, porque a mí se me ocurrió tener apendicitis. Recuerdo que mientras me retorcía de dolor después de la cirugía, la escuchaba pegada al teléfono de la habitación quejándose de haberle arruinado su viaje y de haberme quejado toda la noche.

Mi madre resulta ser encantadora con el resto del mundo, es una maravillosa conversadora, hace muchas obras de caridad y es especialmente cariñosa. Durante toda mi vida no he escuchado más que elogios hacia ella. De niño aprendí que no debía quejarme de su odio, no tenía caso porque no podía convencer a nadie de que "mi madre maravillosa" era un ser malévolo. Cuando me casé me alejé de ella (por lo que sigo siendo el malo) y la veo sólo en algún evento familiar, como bodas o bautizos. Entonces habla con mi esposa y le cuenta lo mucho que la he hecho sufrir. La última vez le dijo: "Pero, como al hijo pródigo, yo lo espero con los brazos abiertos". Lo bueno es que mi mujer sabe toda la historia y no se la traga.

Madres golpeadoras

Un alto porcentaje de menores de edad son víctimas de maltrato físico y emocional principalmente por parte de la madre, quien por desesperación al no encontrar la forma de controlar y corregir al menor, se excede y le provoca lesiones severas e incluso la muerte. Con frecuencia estos casos son detectados en centros de salud y son pacientes, o mejor dicho, clientes cotidianos de atención en las salas de emergencias.

TESTIMONIO DEL DOCTOR JORGE R. PÉREZ ESPINOSA
CENTRO DE AYUDA PSICOLÓGICA PARA MAMÁS (CAPSIM)

Todo comenzó cuando, en el programa de radio *Kelly, Lammoglia y la familia*, me invitaron para hablar sobre el tema de las madres con problemas. Fue sorprendente la cantidad de llamadas telefónicas de mamás solicitando ayuda. A raíz de esto se creó el Centro de Ayuda Psicológica para Mamás y, como parte de éste, existe una sección dedicada exclusivamente a la atención psicológica para madres golpeadoras.

Las madres que acuden al centro lo hacen porque de alguna manera ya tocaron fondo, es decir, percibieron que están cerca del peligro de causar un daño irreversible a sus hijos o hasta la muerte. La mayoría ha sido víctima de maltrato en la infancia, pero no todas. Llegan llorando y diciendo: "Necesito algo que me detenga". Quieren parar el maltrato, pero no pueden.

Maltratan igual a niños y a niñas, pero existen ciertos rasgos en la personalidad y carácter de estos infantes que aumentan el factor de riesgo de que la madre golpeadora arremeta contra ellos. Con frecuencia poseen características de la madre que ella no pudo resol-

96

ver, por ejemplo, timidez, desobediencia o bajas calificaciones. El niño es un reflejo de las acciones que ella no tolera en sí misma.

Se trata de niños no queridos, no sólo los hijos de embarazos no deseados, en muchos casos el niño o niña no nació como ella lo anhelaba, es decir, no cumplió sus expectativas. Éstas pueden ir desde el sexo, el tono de la piel y el carácter, hasta defectos físicos o alguna discapacidad. La frustración de la madre cuando el hijo no cumple sus perspectivas provoca resistencia y rechazo. Una mamá escribió: "Me sirve ponerme furiosa hoy, enojada, porque eso me permite no ser madre en esos momentos".

Está también el niño que llamamos de "encargo". La mujer se embaraza, no porque lo quiera, sino para satisfacer el deseo de alguien más, como puede ser la abuela o el marido. En este caso la madre no lo considera afectivamente como suyo, sin embargo, la persona que lo "encargó" sí lo reconoce y probablemente termine quedándose con el niño.

También existe un factor de riesgo para el niño que no cumple el narcisismo de la madre. Un ejemplo claro es cuando una mujer de piel clara y con cierta belleza se casa con un padre feo, moreno y de baja estatura. Si el niño nace con las características del padre la madre se decepciona. Más adelante, al llevarlo a la escuela lo compara con los demás niños y se avergüenza.

Otro caso es cuando el niño representa una envidia para la madre. Hay matrimonios en los que la niña es la manzana de la discordia porque su padre la mima demasiado y esto provoca la envidia de la madre. Los castigos que le pone son muy severos porque la niña tiene el padre que la madre nunca tuvo.

Está también lo que llamamos el niño "iceberg". En este caso la madre sólo percibe una pequeña porción de lo que es el niño, sólo ve lo que ella quiere ver. Considera que su hijo no entiende nada y sólo lo toma en cuenta cuando se trata de algo que ella cree que puede entender. En su mente lo considera muy poco y lo trata como inadecuado. Tenemos también al niño que demanda cariño y afecto. Quiere abrazar a su madre, pero ella no puede tolerarlo y lo rechaza.

Para la mamá, todos los hijos tienen un sentido por el cual nacen y éste puede ser el factor de rechazo cuando no corresponde al sentido natural de la maternidad. Tenemos un caso de una mujer joven que había planeado casarse, pero pensó que para asegurar el matrimonio tenía que embarazarse y así lo hizo. Después se casó y el hijo ya no tenía razón de ser, por lo que se convirtió en un estorbo.

Otro sentido desviado se presenta cuando la mujer se embaraza con el fin de retener a su pareja; algunas mujeres casadas con hombres menores temen que su esposo las deje por una mujer más joven y se embarazan con el fin de asegurarlo. Lo mismo ocurre con mujeres que, al ver amenazado su matrimonio, intentan retener al marido con un embarazo. Existen también muchos embarazos intencionales de mujeres que quieren, con esto, lograr que el hombre "les cumpla" obligándolo a casarse.

Estas madres no tienen la capacidad de ligarse afectivamente. Se han quedado en la etapa infantil de sus necesidades no resueltas y son completamente egoístas. No están para dar, sólo para recibir. Padecen de incapacidad para vincularse afectivamente, pero no ejercen la violencia con todos los hijos sino que eligen a uno en especial; con frecuencia será el niño que presente más factores de riesgo. No sienten ningún afecto por su hijo y se desesperan sólo con ver al pequeño.

En el mundo exterior estas madres son como cualquier otra. Pueden ser profesionistas con un elevado nivel intelectual. Pero tienen hijos que simplemente no desearon. Existe el caso de una mujer licenciada en derecho con varias maestrías. Se embarazó sin quererlo y no lo comunicó a su marido. Se golpeaba el vientre y hacía ejercicio exagerado intentando abortar. Fue atropellada y sólo sufrió una fractura en un pie y lo primero que preguntó al doctor es si había perdido al niño, el pie no parecía importarle. Cuando el niño nació no fue amamantado, lo cual suele ser la primera señal de rechazo. Posteriormente, entró en un estado depresivo y decía a sus hijos que no la molestaran, encerrándose todo el día en su habitación. Algunas madres llegan a reconocer abiertamente que no quieren a sus hijos y desean que se vayan. Es común que los dejen con la abuela y jamás regresen por ellos. Las madres de niños especiales con alguna discapacidad están más conscientes de la verdad y lo viven como un destino hacia el fracaso porque saben que, no importa cuánto se esfuercen, el futuro está condenado. Una madre confiesa que le aguanta a su hijo todas sus limitaciones y defectos, hasta el hecho de que no sea inteligente, pero no pudo tolerar un insulto: su deseo más profundo es que fallezca. Estas madres tienen mucha culpa.

Los niños especiales tienen madres más conscientes, porque se desgastan mucho ya que el cuidado es intenso y se alejan más de su pareja. En el Centro tratamos de enseñarles que lo importante no es amarlos sino respetarlos. El maltrato comienza desde el momento en el cual se sienten obligadas a amar a sus hijos por el hecho de ser madres ante la sociedad y ante Dios.

El hijo adoptivo es también un factor de riesgo porque cuando la madre decide adoptarlo está tratando de cumplir una fantasía personal. El niño, generalmente, no cumple sus expectativas y esto genera una bomba de tiempo. La madre enferma tiene poca tolerancia a la frustración y reacciona con exageración cuando el niño no cumple con sus tareas, no trae buenas calificaciones o no es tan listo a pesar de que ella hace todo para que lo sea. Las madres que adoptan cargan con un sentimiento de culpa grande, necesitan darle todo al pequeño ya que ellas fueron las que lo pidieron. El niño nunca va a ser como ellas querían.

El 90 por ciento de las madres atendidas en el Centro son casadas y el esposo no las puede detener. Los maridos de todas son emocionalmente dependientes. Más que esposos son como hijos mayores. Cuando ellas se enojan les piden el divorcio (como amenaza) y ellos entran en pánico. Estos padres sólo aconsejan a su hijo que mejor ya se porte bien y no haga enojar a su mamá. El 98 por ciento de estas madres sufrieron abuso sexual en la infancia, esto las predispone hacia las hijas. Tenemos el caso de una madre que cada vez que tenía buenas relaciones con su esposo, al día siguiente golpeaba a su hija. Hacía esto para proteger y prevenir a la niña de que no fuera a despertar al gozo sexual.

Estas madres desearían que sus hijos se defendieran, que les dijeran algo así como: "Ya no me pegues vieja bruja". Cuando el niño se somete, la madre se enfurece más y le da doblemente. Si el niño se defiende, la madre, en el fondo, se siente a gusto porque de esta manera ya no se siente tan culpable. Son muy voraces y extremadamente demandantes. Cuando vienen al Centro siempre están solicitando más tiempo, más atención, que se les cobre menos y todas quieren el mejor sitio, tienen gran necesidad de recibir. No toleran las fallas y suelen crucificar a la persona que comete un error. Son controladores al 100 por ciento. No permiten que sus hijos crezcan y lo hacen de manera sutil. Les preguntan: "¿Ya te has amarrado las agujetas?", mientras ellas lo hacen. No desean que el niño reflexione.

Suponen mucho y preguntan poco. No se cuestionan qué pasa con el hijo porque creen que ellas lo saben todo. Cuando le preguntan al niño lo hacen en forma de interrogatorio acusatorio. Son madres manipuladoras de múltiples maneras, siempre utilizando la culpa y el chantaje para obtener lo que desean. No les interesa servir a los demás, menos a sus hijos y quisieran que fueran autosuficientes. Les falla el control de impulsos y afectos en todas las áreas de su vida, pero se controlan afuera y descargan su ira con los hijos. Pueden entablar cierta amistad, siempre y cuando no sea continua ni íntima porque rechazan la cercanía.

No son depresivas. La madre depresiva no tiene fuerza para golpear, más bien abandona a los hijos. Son madres que de una u otra manera evidencian el deseo filicida. Éste es el deseo de dañar al hijo y, en el caso más extremo, de que se muera. No son conscientes de nada de esto y sólo a lo largo de la terapia algunas lo llegan a reconocer. Una madre decía: "Si me la piden la regalo, pero mi esposo no quiere".

En este deseo filicida, la madre utiliza lo que sea para arremeter contra su hijo. Una niña de tres años se orinó y la madre lo detectó por el olor, sin embargo, le preguntó enojada por qué estaba mojada, si había estado jugando con agua. Como la niña guardó silencio la madre la golpeó, la insultó y la envió a su cuarto.

Todas ellas consideran que el embarazo fue un error. Traen el impulso sadomasoquista porque vivieron de niñas la agresión y ahora ellas son sádicas. Una vez que empiezan a golpear no pueden detenerse hasta que han descargado completamente su ira. Los factores que detonan el arranque violento de la madre son varios, pero el que desata las peores agresiones es la rebeldía. Lo que menos tolera una madre enferma es el reto abierto por parte del hijo, por ejemplo, cuando contesta: "No lo voy a hacer ¿y qué?". El desafío es la principal causa que detona la violencia porque significa una renuncia mutua. El segundo factor detonador es cuando el hijo muestra alguna debilidad que molesta al progenitor. El tercer factor es la baja tolerancia a la frustración de la madre, basta con que el hijo se equivoque por segunda vez para que empiece la golpiza.

Estas mujeres no soportan que alguien más sea feliz mientras ellas sufren, preferirían que todo mundo padeciera lo mismo con tal de que otros no tengan la felicidad. La mayoría no son productivas por su alta dependencia y su constante búsqueda de culpables. No reconocen sus errores, todo es culpa de alguien más. Cuando acuden por primera vez al Centro no lo hacen creyendo que son ellas las que tienen un problema sino sus hijos. Éste es un común denominador y vienen esperando una confirmación. Suponen que aquí les vamos a dar la razón y les proporcionaremos una receta para arreglar al hijo.

El maltrato no es difícil de erradicar, el problema es que cuando una madre deja de maltratar, pierde el sentido de su vida. Se deprime porque ya no gira alrededor de su víctima. Estas madres están más atentas a todo lo que el niño hace y viven pendientes de él esperando que cometa el más mínimo error. Parte de la terapia consiste en buscar otro sentido a su vida, porque si no lo encuentran vuelven a maltratar. Nosotros sugerimos al menos diez sesiones para que logren tener conciencia. Cuando se dan cuenta de que tienen ese deseo de destrucción, muchas desertan. Esto ocurre porque en esa toma de conciencia tienen que renunciar a todos los pretextos que utilizaban para justificar sus arranques violentos como: "Es que no estudia", "No obedece", etcétera.

Ante cualquier sugerencia que se les hace en la terapia se ponen a la defensiva. No escuchan o lo hacen muy poco. Al buscar soluciones quieren recetas de cocina. No cumplen las sugerencias que se les hacen porque están acostumbradas a la rebeldía. Encontramos desde algunas madres bastante cuerdas hasta otras muy enfermas, como una que se embarazó sólo para saber qué se sentía abortar. En sus otras áreas de la vida son como cualquier otra persona. Su conducta cotidiana es amable, pero critican mucho y son intolerantes y rígidas en su forma de pensar.

Estas madres ejercen la violencia física, emocional, sexual o de negligencia contra sus hijos. Utilizan la violencia emocional porque es muy dolorosa y sobre todo porque deja secuelas. Saben dónde dar para paralizar al niño. Están acostumbradas a encontrar el defecto que acongoja al infante y señalarlo o utilizarlo en su contra. Un ejemplo muy común es cuando a un niño con aneuresis (incontinencia nocturna), la madre le condiciona el cumplimiento de algún deseo con base en una serie de méritos, incluyendo tres días de no mojar la cama. El pequeño puede cumplir todas las demás condiciones excepto ésa y la madre se vale de esto para no cumplir el deseo. Éste es un juego con premeditación, alevosía y ventaja en el que la mamá sabe de antemano que el niño lleva las de perder. La madre utiliza el defecto o carencia del infante como un arma para colocarlo en un sitio donde ya no se puede mover. Suele detectar cualquier falla emocional para utilizarla en su contra y paralizarlo.

La esencia de la violencia emocional es generar en el niño una destrucción porque la madre se siente destruida. Los niños aprenden esta violencia, la perfeccionan y después, en la edad adulta, se desquitan. El rechazo es un arma de la violencia emocional. Una de las tácticas más comunes es la "ley del hielo". La madre, repentinamente deja de dirigirle la palabra al menor. El niño enloquece porque no sabe qué fue lo que hizo y esto no le da la oportunidad de reparar el daño. En muchos de estos niños se presenta el Síndrome de Estocolmo. Se le ha llamado así a partir de un secuestro famoso que hubo en Estocolmo en el que, en el asalto a un banco, los rehenes sintieron afecto por sus secuestradores. De la misma manera, los niños que por naturaleza no quieren perder a su madre, ya que esto les significaría un vacío, sienten cariño por ella a pesar del maltrato y se acostumbran a éste.

Las madres primero llaman por vía telefónica al Centro y se les da una cita individual, en la que responden un cuestionario acerca de sus razones para acudir a terapia; el tipo de violencia que ejercen; sus motivos; cómo empezó su problema; cómo afecta otros aspectos de su vida; qué han hecho para solucionarlo; cómo maltratan a sus hijos; qué les agrada o desagrada de ellos; cuál es su principal temor frente a sus pequeños; qué esperan de ellos; cuáles son sus metas en la vida; con qué frecuencia los ofenden; qué sienten durante y después del maltrato; si fueron maltratadas de niñas y qué tipo de maltrato recibieron; si su pareja pisotea a los niños y cómo lo hace; cuáles son sus problemas de pareja; si hay relación con bebidas alcohólicas o drogas, y cómo es la comunicación en la familia.

Después de una o varias citas individuales pasan a un grupo de diez personas que se reúne una o dos veces a la semana, en sesiones que duran de hora y media a dos horas. Con fines terapéuticos, se les permite relatar afuera todo lo que aquí escuchen, pero con la condición de que se conserve el anonimato. Por lo menos se necesitan diez sesiones para que tomen conciencia. No se buscan cambios drásticos. En un principio se indaga el origen; cómo fueron tratadas de niñas; cómo vivieron la agresión y el maltrato; qué características tiene el hijo, y qué alternativas proponen.

La terapia es focalizada. Estas mujeres tienen una percepción muy distorsionada, especialmente en lo que al hijo maltratado se refiere. Antes que nada, nos abocamos a que advierta esta distorsión de su percepción, porque creen que el niño lo hace a propósito.

Carta a mi madre

No se cómo comenzar; quisiera decir *querida madre*, pero no puedo. Creo que aún no te quiero y eso de madre te queda muy grande, pudiera decir pinche madre; en fin, creo que me resulta mejor *Yolanda*. No sé si estoy enojada o triste, tal vez las dos, no sé si con Dios por haberme dado como madre a una hija de la chingada como tú; o contigo por ser tan poca madre; o con la vida por no haberte enseñado, invitado, presionado a ser más consciente, reflexiva, exigente contigo misma para hacer mejor lo que te correspondía; o conmigo por no haber tenido una actitud más inteligente y menos vulnerable; en fin, una vez más intento dejar todo este dolor atrás.

¿Sabes?, no sólo estoy enojada, estoy furiosa contigo, no se vale que no te dieras cuenta que tenías frente a ti a una chiquita de cuatro o cinco años, indefensa frente a tus monstruosos ataques sin control. Me asustaba tu mirada, el tono de tu voz, tu estatura, ¿sabes?, es doloroso reconocer que nunca te he querido, que no te respeto, que sólo te tengo miedo, un monstruoso temor que me lleva a tratar de hacer lo que creo que tú esperas que haga; un terrible miedo que me dispara tu no aceptación y tu no reconocimiento. Qué cansada estoy, qué digo cansada, estoy agotada física, emocional y moralmente de intentar conseguir tu amor, tu aceptación y tu reconocimiento.

¿Sabes madre? hoy tengo 43 años y todavía tengo tu desaprobación, busco frenéticamente y anhelo con todo mi corazón y desesperación encontrar en cualquier hombre la ternura, la paciencia, la poca tensión, la confianza, el entendimiento y la guía que creí necesitar y que aún sigo creyendo que debí recibir de ti y que siento que me quedaste a deber, porque estuviste tan distante de mí, y aún lo estás, me refiero afectivamente, que todavía me pregunto qué me impidió merecer tu amor.

¿Sabes?, a toda hora, con cualquier persona, en toda circunstancia me siento inadecuada e inoportuna. Siempre he sentido que te estorbo, que no soy suficiente y que te molesto. Me rompo la cabeza tratando de saber qué me falta para ser adecuada, suficiente, aceptada y amada, no sólo tolerada y criticada. Estoy cansada de vivir tan asustada; me desgasta sobremanera tener que cuidar tanto lo que digo, lo que hago y lo que se puede interpretar.

Estoy harta de saber qué es lo adecuado y necesario para guiar a mi hijo. Ahora tengo que aprender a cuidar de mí. En ocasiones siento que esperas que me haga cargo de ti. No se vale, no quiero y no estoy dispuesta. Me esforcé en ser inteligente, obediente, limpia, graciosa, respetuosa, educada y decente, hice tantas cosas para que me quisieras. No sé si estoy cansada de estar asustada, o de ser adecuada o de ser inadecuada siempre. ¿Sabes?, me duele mucho tu desamor y sigo rogando a Dios tener una madre amorosa, cercana, dulce, comprensiva, compasiva, educada, respetuosa, confiable, inteligente, intuitiva, reflexiva, fuerte, valiente, honesta y limpia que me sepa guiar con amabilidad y sabiduría.

Madre, tú tampoco me gustas.

Madre, me maltrataste tanto y sólo era una niña, y lo peor es que soy tu hija. Qué lástima que también tú te lo perdiste, te perdiste de mi amor y mi deseo de estar contigo.

Son pocos los menores que se atreven a poner en palabras el maltrato que sufren. Muchos, al provenir la violencia de una persona con autoridad, creen que lo merecen; otros, se encuentran tan atemorizados que se callan para evitar más golpizas. En su malestar confluyen el miedo, la vergüenza y la culpa. El niño cree que lo que él hizo provocó la ira de su padre y esta creencia se refuerza con frases como: "Si obedecieras", "Si te portaras bien".

Bebés, niños y adolescentes de ambos sexos son víctimas de distintas formas de maltrato, que van desde el abuso sexual y los golpes hasta la violencia psicológica y el abandono. Dentro del confinamiento de su propio hogar, el niño es una víctima acorralada. El poder sobre los hijos es algo que no encuentra muchos obstáculos y se detenta de manera natural. Las constantes golpizas, humillaciones, vejaciones y amenazas afianzan ese poder y demuestran quién lo ejerce.

También hay madres que sin golpear hacen un gran daño a sus hijos. Hemos sido testigos del caso Sergio Andrade, en el que un grupo de madres pusieron a sus hijas en manos de un desconocido con la ilusión de mejorar su situación económica. No fueron secuestradas, fueron entregadas frente a un notario sin importar las consecuencias, literalmente las vendieron. Indignante resulta que ahora, después de que las atrocidades salieron a la luz pública, estas mismas madres demanden, no con el fin de ayudar a las niñas, sino deseando obtener dinero a costa de ellas. Se hacen las víctimas sin explicar por qué pasaron meses y hasta años sin tener contacto con las hijas y sin preocuparse por ellas.

La madre es nuestra primera fuente de nutrición, tanto física como afectiva; si falla en alguna de estas funciones el individuo tratará de sustituir esta carencia en la vida adulta. Muchos comedores compulsivos no fueron nutridos o queridos por su madre, por lo que se vuelven voraces y su ansiedad se manifiesta en un tipo de hambre insaciable.

El abuso sexual

Una de las formas más ocultas de ejercer el poder y someti-miento es el maltrato sexual. Esta forma de violencia es de las más frecuentes y más dañinas. Se presenta en todos los niveles socioeconómicos y culturales. Por lo general, son actos que sólo el agresor y la víctima conocen, y callan por muchos años, incluso hasta la muerte.

El abuso de menores por parte del padre de familia es común y, en muchos casos, es del conocimiento de la madre, quien guarda silencio por temor a que el problema se sepa en el resto de la familia o que su pareja la abandone. En otros casos, la madre no otorga credibilidad al niño, asumiendo una con-ducta pasiva, y el menor tiene que soportar la agresión sexual además del maltrato por omisión y falta de credibilidad de la madre. Cuando la agresión sexual está presente al interior de la familia, sus estragos a nivel psicológico son más graves que cuando el que agrede es un desconocido con quien no hay un trato cotidiano. En muchos casos la agresión se repite por años.

El padre abusador cree que sus hijas son de su propiedad y las utiliza a su antojo. En fechas recientes se dio un caso en el estado de Chiapas: un tipo fue encarcelado porque, además de violar a sus hijas cotidianamente, les había colocado un can-dado perforando los labios vaginales. Este hecho puede impre-sionar a muchos, pero lo grave es que este tipo de aberraciones son frecuentes. Lo raro aquí es que se haya denunciado. Tal es el dominio psicológico que ejerce el criminal sobre sus hijas, que una de ellas se presentó después al penal con la solicitud de hacer una visita conyugal.

El abuso sexual puede ejecutarse por la fuerza en un acto brutal, pero también puede llevarse a cabo a través de una seducción malsana. La niña confunde el amor de su padre con la intimidad, es seducida y lo complace en sus solicitudes. Pero algo en ella sabe que está mal y el daño psicológico es tan grande que en algunos casos llega a padecer amnesia como mecanismo de defensa. Muchas niñas resultan embarazadas por su padre, su hermano o su tío. Posteriormente, en vez de recibir apoyo, son golpeadas y, en muchas ocasiones, echadas de su casa.

TESTIMONIO DE UNA MUJER DE 56 AÑOS

Crecí en San Luis Potosí. Mi familia tenía dinero y prestigio en una sociedad que en aquel entonces era muy conservadora y católica. Fui hija única y siempre estudié en una escuela de monjas, en la que las lecciones de catecismo y moral eran más importantes que las otras materias.

Mi libro *Lecturas de corrido* de tercero de primaria dice en su lectura 14: "La primera obligación de un niño, después de lo que debe a Dios, es amar a sus padres. Amar de veras a sus padres consiste en hacer todo lo posible para darles gusto; es decir, ser muy obediente, respetuoso, trabajador, servicial; ser muy cortés, gracioso, amable con ellos en todo tiempo, y asistirlos en sus necesidades y dolencias".

Y todo eso trataba de hacer aterrada por la amenaza del infierno y sus llamas eternas. Entonces le daba "gusto" a mi papá cuando se metía a mi habitación por las noches y le "obedecía en todo" intentando ser "cortés", "graciosa" y "amable con él todo el tiempo", asistiéndole en sus "necesidades". Y como era muy, muy obediente, me sometía no contándole a alguien lo que sucedía por las noches. Recuerdo que él me decía: "Así sucede en todas las familias, pero es 'pecado' platicarlo con alguien más".

Cuando pude ser consciente de lo que se trataba, mi padre ya había muerto. Nos mudamos a la capital y empecé a estudiar psicología. Primero lo leí en un libro y luego en otro. La confrontación fue tremenda y no había duda: yo tenía todos los síntomas de una víctima dañada. Me quise suicidar con pastillas, pero no lo logré. Mi madre me internó en el Hospital Español, donde fui tratada por psiquiatras y fue ahí donde por primera vez en mi vida hablé del asunto. Mi acondicionamiento era tan fuerte que me sentía culpable. Años de terapia me han ayudado a sobrevivir. Todo ha sido muy lento para mí. Nunca me casé, jamás dejé que se me acercara alguien. Soy una persona rara y tengo pocas amistades. Todavía tengo miedo de que se sepa mi pasado, me da vergüenza. Hace algunos años pensé que se me notaba, que la gente me veía y lo sabía, como si portara un letrero que dijera: "Violada por su propio padre".

Cuando se publicó el libro *Abuso sexual en la infancia* corrí a comprarlo. Lo leí en un mar de lágrimas lo mismo que *El coraje de sanar*. Los he leído varias veces y es que pareciera que aún necesito convencerme de que mi padre no me quería, que no me estaba ganando el cielo y que fui víctima de un crimen.

Todos los adultos que sufrieron abuso sexual en la infancia tienen una autoestima baja, además sienten que están dañados, sucios y que son diferentes. Presentan síntomas de autoculpa, depresión, comportamiento destructivo, problemas sexuales, intentos de suicidio, y muchos abusan del alcohol y las drogas. Con frecuencia continúan el ciclo y se vuelven abusadores.

El secreto impuesto

El silencio obligatorio garantiza la impunidad del delincuente. El agresor se vale de una variedad de estrategias que utiliza para preservar el secreto: "No se lo digas a nadie", "Éste es nuestro secreto". Las amenazas operan de modo efectivo, el niño calla por temor a ser dañado o que se afecte a sus seres queridos. El chantaje se utiliza de muchas maneras, se le dan obsequios o dinero por dejarse tocar o se le reclama falta de cariño: "Si no te dejas, es que no me quieres", "Si se lo cuentas a tu mamá la vas a lastimar". Otra estrategia es hacer responsable a la víctima: "Si te dejaste la primera vez es que te gustó, y por eso aceptas las demás", "La niña es seductora". La baja autoestima estimulada por el agresor en su víctima al decirle que "no es importante", también debilita los recursos de defensa de la víctima: "Si lo cuentas nadie te va a creer a ti sino a mí", "Por tu culpa me llevarán a la cárcel".

Los niños varones se encuentran en una situación de desventaja en relación con las niñas, ya que suelen ser más reservados, reciben amenazas más violentas que las niñas y, sobre todo, evitan hablar de la experiencia por temor a las burlas de sus compañeros. El agresor procura romper los vínculos de comunicación y convivencia del menor con las personas que en un determinado momento pudieran intervenir en su ayuda, incluso llegan a impedir su asistencia a la escuela. Algunos agresores sexuales manejan el incesto como consecuencia de la irresponsabilidad de la madre: "Tu mamá lo sabe y no le importa", "Si tu mamá me cumpliera no tendría que hacerlo contigo". El agresor se encarga de generar conflictos entre la madre y el hijo para agrandar el abismo de comunicación entre ellos, traducido en rencor, distanciamiento y desconfianza. Una vez que el agresor ha logrado el silencio de su víctima podrá hacer lo que quiera. Obligarse a callar produce en los niños sentimientos de responsabilidad, como si fuera el culpable y debiera avergonzarse de lo ocurrido, por lo que siempre deberá callar. De esta manera se creerá merecedor del maltrato, debido a lo confuso de sus sentimientos y a una percepción irreal de su situación.

La mayor parte de los abusadores sexuales tiene una personalidad o un perfil psicológico donde el recato y el puritanismo son casi una constante. Se presentan ante el mundo, la familia, la sociedad y el médico psiquiatra como gente austera en su vida personal, y por austeridad me refiero no sólo a aquellos no dispendiosos, no parecen ser frívolos, no tienen una tendencia al egoísmo sino, por el contrario, pasan al recogimiento, al puritanismo, al concepto conservador a ultranza, a las prácticas francas y criticables de "mochería" en su vida cotidiana. Y se dan entonces la oportunidad de no reprimirse en su sexualidad con aquellas personas que saben que no los van a denunciar. Es el típico caso del que podríamos hablar de *candil de la calle oscuridad de su casa* en un sentido totalmente sincronizado, el individuo que puede dar al mundo la luz de la enseñanza de lo religioso y de las buenas costumbres, y que vive en una verdadera porquería emocional sexual dentro de su casa. Estos perversos sexuales llegan a ser incluso mesiánicos, tienen la tendencia a proclamar sobre las buenas costumbres, la moral o las conductas políticas o sociales de componente conservador.

Cuando uno lee sobre la patología sexual de estos personajes encuentra esa aparente paradoja, la conducta que sanciona las faltas del exterior, pero se las permite a sí mismo. Es así como vemos la supuesta práctica religiosa, de dientes para afuera por supuesto, de estos sujetos como en el caso de los sacerdotes y las religiosas que administran internados. Mientras un niño vive en un internado, éste se convierte en su casa y lo que ocurre adentro es de carácter doméstico.

En algunas familias el abuso sexual no se lleva a cabo físicamente, sin embargo, existe una atmósfera incestual que consiste en una serie de miramientos, tocamientos y alusiones sexuales. Los niños pueden presenciar la vida sexual de los adultos o escuchar pláticas de su intimidad sexual. Todo esto es probable que esté disfrazado de un liberalismo o modernidad falsos.

Cómplices del delito

Muchas veces se dice que el silencio es oro, pero no hablar puede tener un costo elevadísimo. En el caso de los delitos sexuales contra menores es complicidad, lo cual hace al que calla tan culpable como el criminal.

Son varios los cómplices, empezando por la propia familia. Todas las madres que callan son cómplices y también los demás familiares que se enteran del delito. Son cómplices los médicos que detectan el abuso o violación de un niño en un examen médico y no lo denuncian. Son cómplices los maestros y directores de escuela que se dan cuenta de que un alumno de su plantel está siendo víctima en su hogar de un delito sexual y no lo delatan. Y hablamos aquí de una denuncia penal, acudir ante las autoridades, porque se trata de un delito tipificado en las leyes.

Llamada al programa de radio de una maestra de preescolar

Soy maestra de preescolar en una escuela particular y llamo al programa porque necesito ayuda respecto de un problema que me aflige mucho y no sé qué hacer. Uno de los niños de mi salón se presentó un día muy afectado. Se acostó en el suelo y se quejaba de un dolor en la cintura. No se quería levantar y a veces lloraba. No caminaba, sólo se arrastraba en el suelo y no se podía sentar. Más tarde se enderezaba, pero se mantenía pegado a la pared. Hablé con él y, con trabajo, me contó que su papá le había puesto el "pilín" en sus pompis.

A partir de entonces, este niño ya no es el de antes. Perdió la alegría y se muestra muy agresivo. No permite que alguien lo toque, y si otro niño lo hace él responde con un golpe. Antes usaba muchos colores en sus dibujos, ahora sólo utiliza la crayola negra y dice que no sabe quiénes son los personajes que dibuja. Solía ser parlanchín y ahora es muy callado.

Me decidí hablar con su mamá, pero se mostró evasiva y como si no le diera importancia. Se veía preocupada, pero trataba de aparentar lo contrario. Se molestó conmigo y sólo dijo que iba a ver qué había pasado. Me presenté con la directora de la escuela y le narré todo lo sucedido. Ella sólo me dijo: "No nos involucremos". Si yo denuncio el caso corro el riesgo de perder mi trabajo. Yo quisiera que me orientaran en cuanto a qué puedo hacer para ayudar a este niño. Siento coraje y una gran impotencia.

En este caso el comportamiento de la directora es indignante y no tiene perdón alguno. Este hecho debe ser denunciado urgentemente. La directora tuvo la oportunidad de dar una respuesta digna y no lo hizo tal vez por temor a que se vea afectado el prestigio de la escuela, pero sucede que es al contrario pues, de haberlo hecho, esto incrementaría la confianza de los padres que tienen ahí a sus hijos.

La directora está siendo cómplice de un crimen. Estamos hablando de violación y cualquier examen médico que se practique a ese niño lo puede probar. Además, es un caso de urgencia psiquiátrica, requiere atención médica inmediata, porque ese niño ya fue víctima de un trauma brutal y seguramente continuará siéndolo porque un violador no lo hace una sola vez.

La estrategia que sugiero es hacerlo del conocimiento de las otras madres de sus compañeros para que éstas ejerzan presión sobre la directora y, a su vez, aconsejen a la mamá para que denuncie. Es probable que una mujer sometida, que no se atreve a actuar, pueda ser convencida por un grupo de otras madres.

Sé que existen muchas directoras y directores de escuelas que cometen el grave delito de guardar silencio, a costa de la vida y la salud mental de los mismos niños que se supone que están educando.

Lo hemos repetido hasta el cansancio: EL SILENCIO ES COMPLICIDAD. Muchas madres no denuncian porque temen un desajuste familiar, pero éste ya existe.

Hijos de alcohólicos o drogadictos

Los hijos de padres alcohólicos o drogadictos viven en un caos continuo. Nunca saben qué va a suceder y experimentan un constante terror. Advierten que en cualquier momento pueden empezar las agresiones, físicas o verbales, y esto los mantiene en una incertidumbre que no les permite jugar o estudiar con tranquilidad. No entienden qué sucede y crecen con un considerable nivel de inseguridad que afectará su capacidad para relacionarse. Varios desarrollan un sentido excesivo de responsabilidad ya que se ven convertidos en cuidadores de sus padres. Ellos tratan de arreglar las cosas y hacen todo lo que está a su alcance para lograrlo, como llevar a su papá a la cama, limpiar sus vomitadas y aparentar que nada sucedió. Aprenden que son ellos los rescatadores y probablemente se pasen el resto de su vida rescatando borrachos o gentes con problemas. La mayoría se convierte en codependiente y se casa con otro alcohólico.

Las familias alcohólicas utilizan la negación para poder coexistir y, o bien nunca se habla del problema, o se minimiza. El niño aprende esta negación y a fingir fuera de la casa para proteger el secreto familiar. Las excusas, las mentiras y los secretos son parte del sistema familiar y las herramientas de la dinámica familiar.

El miedo a las sorpresas es tan grande que cuando son adultos se vuelven controladores. Tratan de asegurar y proteger todo para que la vida no vuelva a sorprenderlos, pero desconfían de todo y de todos esperando siempre lo peor. Cuando forman una familia enloquecen a sus integrantes tratando de controlar sus vidas, sentimientos y actitudes.

La familia alcohólica es tan disfuncional que todos sus integrantes requieren ayuda. Los hijos de alcohólicos necesitan integrarse a un programa de recuperación, con el apoyo de una terapia. Se trata de una enfermedad con una predisposición genética. No es culpa de nadie, pero sí es responsabilidad de cada individuo hacer algo al respecto, informarse de las características de su enfermedad y buscar la ayuda adecuada. Si bien es incurable, sí existe una solución para poder vivir con ella sin sufrir ni causar sufrimiento. Se trata de un sistema de vida que sólo se aprende en los grupos de Alcohólicos Anónimos y Al-Anón. También existen grupos para farmacodependientes, hijos de alcohólicos y jóvenes alcohólicos. La ciencia médica no ha encontrado un tratamiento que cure esta enfermedad, y el único que puede ayudar a un alcohólico es otro alcohólico.

El cuento de la madrastra

En diversos cuentos infantiles aparece la imagen de la madrastra como la "malvada". Esto tiene mucho sentido, porque son múltiples los casos de mujeres que aceptan lidiar con la *carga* de los hijos del viudo con tal de casarse. Es imposible que estas mujeres lleguen a tener algún lazo afectivo con los niños, para ellas son una carga y, aunque no los golpeen, les hacen sentir su hostilidad. Estos niños, que de por sí padecen la falta de la madre, son víctimas constantes de un maltrato emocional destructivo. Cuando estas mujeres traen un nuevo bebé a la familia el problema empeora, porque hacen muchas diferencias y tratan a los hijastros como enemigos de su hijo.

Otro caso disfuncional se presenta cuando la madrastra intenta convertirse en madre de los niños. Esperan que los pequeños las quieran como si fuera su mamá, pero esto es imposible. Los hijastros aceptan el afecto y el respeto, pero no la sustitución; en el fondo saben que decirle "mamá" es una mentira y tarde o temprano se revelarán.

Testimonio de un joven de 23 años

Mi madre murió en un accidente cuando yo tenía siete años. Mi papá y yo nos fuimos a vivir con la abuela porque él tenía que trabajar y no podía encargarse de mí. Mi abuela trataba de hacerme católico; me hablaba mucho de Dios, de mi mamá que me veía desde el cielo, y me enseñaba el catecismo. A mi papá no le gustaba y le decía que no quería que me convirtiera en cura. Sólo estuvimos ahí año y medio porque él se casó con una mujer divorciada que no había tenido hijos y era un año mayor que él. El día de la boda me dijo: "Aquí tienes a tu nueva mamá". Ella me abrazó y me estuvo presentando con sus invitados como "mi hijo". A partir de ahí tuve que decirle "mamá" y ella se dedicó a mí. Me llevaba a la escuela, a clases de tenis, al dentista, al cine y a otros lados.

Al principio yo estaba fascinado con la novedad, pero el encanto desapareció cuando la desobedecí por primera vez. Recuerdo que en cuanto escuché: "Lo siento hijito, pero voy a tener que castigarte", se despertó dentro de mí un demonio y le grité: "¡Tú no eres mi mamá!". Lloró como Magdalena, llamó a mi papá a la oficina y él vino corriendo a la casa. Me acorraló a gritos y por primera vez me golpeó. Desde entonces la odié. Le reclamaba a Dios que se hubiera llevado a mi mamá y, no importaba lo que ella hiciera, yo la despreciaba. Le decía "mamá" en tono sarcástico porque me obligaban, hasta que un día mi padre me escuchó decirle a un amigo por teléfono: "La pendeja de mi madrastra es una hija de la chingada". Recibí mi segunda cueriza y a la semana siguiente fui enviado a una academia militar en Estados Unidos, donde me quedé por siete años.

Ahora soy el "problema" de la familia. Para empezar, me siento más gringo que mexicano, pero no puedo vivir allá porque no tengo

115

la nacionalidad. Tengo dos hermanos menores que sólo me ven como el "loco" porque ya estuve internado en un psiquiátrico. Apenas estoy empezando una carrera en la universidad y me tuve que ir a vivir con mi abuela porque mi madrastra padece de "estrés y ansiedad" cuando estoy cerca de ella.

Pero no todas las madrastras se convierten en el enemigo. Las cosas funcionan bastante bien cuando no ven a los niños como una carga sino como parte de la familia a la que se integran, cuando no intentan quererlos artificialmente sino que anteponen el respeto en cualquier situación. Acepta que no es su madre, pero abre la puerta para una comunicación sincera. Los papeles quedan claros desde un principio y ella no trata de sustituir a la madre, sino de proporcionar el afecto y el apoyo que estén dispuestos a recibir. Esto no es fácil y se requiere inteligencia por parte de los dos esposos. Habrán de estar conscientes de que la familia es disfuncional y buscar la mejor solución para cada situación que se presente.

Los valientes corren, niños en la calle

Por las calles del mundo hay una niña vagando,
lleva toda la noche sobre la piel.

La mayoría de los niños que viven solos en la calle de nuestras ciudades son menores que prefirieron huir del infierno familiar. Para estos niños la jungla de asfalto, con todos sus peligros y amenazas, es un sitio más seguro que el propio hogar. Prefieren pasar hambre, vejaciones y frío que volver a entrar a su casa: la casa del horror.

Los vemos en las banquetas, camellones, semáforos, parques y hasta en la alcantarillas. Se han convertido en un problema que, si bien por mucho tiempo se quiso ignorar, se ha tenido que reconocer por sus alarmantes dimensiones. Los gobiernos no saben qué hacer; dan discursos, inventan programas y hasta sueñan que a lo mejor se resuelve desayunando tamales con algunos de ellos enfrente de las cámaras de televisión. Pero la realidad es escalofriante, gran parte de nuestra niñez crece en la calle sin nutrición, vacunas, escuela, papeles y amor. Y, sin embargo, sobreviven. Se vuelven delincuentes por necesidad y la sociedad se aterra ante el futuro de más violencia que esto presagia. No obstante, a todos parece olvidárseles la causa: la violencia doméstica, y poco se hace por prevenirla.

TESTIMONIO DEL *CHALE*

Yo me salí de mi casa bien chico porque, *chale*, estaba cañón. Mi papá es un pinche borracho cabrón que nomás agarra a garrotazos a mi mamá. A veces la amarraba y a mí también, y luego dale con el palo. Después, como teníamos hartos mallugones nos dejaba amarrados o nos encerraba pa'que nadie nos viera.

Antes tenía un hermano más grande al que le pegaba más, pero se fue hace mucho, cuando mi mamá lo mandó con un dinero para que dejaran bajar a mi papá de la patrulla, porque ya lo tenían agarrado, y el güey, *chale*, que se pela con todo y lana y ya nunca volvió.

Mi papá siempre andaba borracho y casi no daba dinero, entonces mi mamá iba a lavar ajeno pa' que comiéramos. A veces no venía en muchos días a la casa y entonces mi mamá la agarraba conmigo y, *chale*, también me sonaba. Una vez, que me defiendo y que le doy una patada. Ella que agarra la olla de la lumbre y yo que corro, pero me cayó el agua en las piernas; mire usté cómo me quedaron: como chicharrón. Entonces yo sí gritaba de lo que me dolía y después de mucho rato me llevó al doctor. Le decía puras mentiras, quesque yo había jalado la olla, ¿usté cree? Luego por muchos días yo no podía caminar y casi no me daba de comer. También ella se ponía borracha.

Un día llegó mi papá y, *chale*, sacó una pistola, dijo que nos iba a matar, venía bien borracho. Y que le dispara a mi mamá y yo que me echo a correr, y él que corre atrás de mí, y mi mamá venía gritando, y él que tiraba balazos, y yo patas pa' qué las quiero, me fui bien lejos. Ya luego encontré unos chavos que me vieron así como muy chiquito y me quedé con ellos.

Primero nos atajábamos debajo de un puente que está bien oscuro y luego ya encontramos otro lugar que no le voy a decir donde está, pero ahí estamos muchos. A veces andamos vendiendo chicles, a veces, pues sí, robamos o pedimos. Todos nos echamos aguas. Las niñas, unas venden chicles o lavan coches. Otras, ya sabe, le chambean de noche. Está la Rosy que dice que tiene trece años. Llegó el año pasado y ella se fue porque su papá se la echaba y luego la hacía que se fuera con otros tipos y él se quedaba con la lana. Dice que así está mejor porque ahora ella se queda con la lana y ya no tiene que aguantar a su papá, dice que es un marrano. También está la Camelia que ya tuvo bebé. Ahí nació y, *chale*, todos lo vimos cuando nació. Eso fue hace mucho porque *El Ratón*, así le decimos, ya hasta camina.

Algunos sí le hacen a eso de las drogas y se ponen muy locos, pero yo no, no vaya usté a creer ¿pa' qué quiero andar loco? A mí me gustaría ser policía. Si fuera policía dejaría a los chavos en paz y no les quitaba su dinero.

¿El presidente? Pos' sí, dicen quesque fue a comer tamales con unos chavos, quién sabe qué chavos, a mí no me tocó nada.

Estos niños escapan a reglas disciplinarias denigrantes, pero, por desgracia, se incorporan a otras formas de esclavitud, como bandas, una vida controlada por las drogas, las mafias que someten a menores para corromperlos en prostitución, tráfico de drogas, etcétera. Al llegar a la etapa de adolescencia y juventud, estos menores se convierten en un semillero alarmante de delincuencia con un gran resentimiento social estimulado a niveles extremos, lo cual tiene como resultado niveles de destructividad difíciles de contener. No todos se convierten en delincuentes, afortunadamente, pero ante el cuidado inapropiado se encontrarán con más dificultades a nivel de recursos personales para adquirir un modo de ascenso social, por lo que sí tendrán más posibilidades de reproducir el mismo esquema de vida del que proceden, carentes de un esquema de valores, una ética y una moralidad que les permita incorporarse como seres positivos a la sociedad.

Para ellos, el concepto de familia no representa un elemento de arraigo y mucho menos factor de unidad. Si llegan a formar una familia van a reproducir los mismos esquemas deteriorados con los cuales subsistieron: con sentimientos de autodestrucción, abandono, incomprensión, baja autoestima y depresión. Generarán relaciones destructivas totalmente alejadas de lo que podría ser una verdadera familia y, por consiguiente, sus relaciones con el entorno serán violentas o con tendencias autodestructivas.

Víctimas presenciales

Se piensa que la violencia entre padres no tiene por qué afectar a los hijos; la realidad es que sus efectos son trascendentes. La violencia presenciada por los hijos, además de provocar daño emocional, termina por corromper a los menores, quienes también son víctimas que sufren un profundo daño psicológico. Reciben toda la maldad que la violencia conlleva al ser hijos de la víctima. Muchos niños se sienten responsables porque creen que ellos son los culpables de las disputas de sus padres. Además, asimilan un aprendizaje de conducta violenta que podrán repetir en su vida adulta, ya sea como ejecutores o como víctimas, ya que llegan a pensar que la violencia es inherente a la vida familiar.

Sí, mi marido me golpea mucho, pero él no tiene la culpa. Así aprendió en su casa, su papá siempre golpeaba a su mamá. Yo sé que me quiere y no lo hace porque sea malo. A veces me golpea enfrente de los niños, pero no se da cuenta porque es cuando viene borracho. Pero después yo les explico a los niños que él no es culpable y que no vayan a hacer lo mismo cuando sean grandes. Deben comprender a su papá porque él no tuvo una mamá que le explicara todo esto. Muchas veces yo tengo la culpa porque soy muy distraída y eso les informo. También tuve un papá que golpeaba a mi mamá y sufrí mucho.

Los niños aprenden conductas negativas interpretando que así es como hay que tratar a la madre, o aprenden el prototipo de pareja y de familia con el que se identifican en su vida adulta. Cuando los padres se separan, la violencia se prolonga más allá del divorcio e intentan agredirse mutuamente a través de los hijos. Para los niños el día de visita o convivencia con el padre o la madre se convierte en una sesión de reclamos continuos, con los cuales uno de los padres pone a los hijos en contra del otro hasta lograr un distanciamiento afectivo.

El chantaje

El ánimo de controlar y someter lleva a los padres más allá de los puñetazos y el terror, utilizando también el arma del chantaje. Es fácil manipular a los niños y el chantaje emocional es, tal vez, el arma más efectiva: "Yo que con tanto dolor te traje al mundo, que me he sacrificado por ti y así me pagas". Esta frase tan conocida en nuestro país es una de las más dañinas. Establece que el niño tiene una deuda, misma que jamás podrá liquidar porque es imposible que devuelva el favor trayendo a su madre al mundo. Establece que es malo porque no agradece que le hayan dado la vida, aunque ésta sea un infierno. Detrás de: "Yo te di la vida", se establece el poder inmenso de la madre y el niño lo puede interpretar como una amenaza velada: "Y te la puedo quitar". "Quieres que me muera ¿verdad?", "Me vas a matar de tanto disgusto". Son frases que acusan un intento de asesinato. Lo más grave es que el niño se aterra ante la posibilidad de la muerte de la madre y se siente culpable. Por otro lado se empieza a crear en el menor una sensación de poder: él es capaz de matar.

Testimonio de un hombre de 36 años

Mi madre timoneó el barco de la familia con la bandera de "la familia unida". Desde niños nos inculcó el valor de la unidad familiar y nos decía que ésa era nuestra fortaleza; los parientes eran el apoyo y la seguridad con la que íbamos a contar toda la vida y tenía que ir por delante de todo. Nos decía: "Un amigo puede ir o venir, pero un hermano es para siempre".

Los días de la familia eran sagrados y nadie podía faltar. Éstos eran el día de Navidad, el día de las madres, el día del cumpleaños de mamá, el aniversario de bodas de mis padres y el primer domingo de cada mes. Estos días se siguieron respetando aun cuando nos fuimos casando o independizando.

Yo tenía un año de casado cuando mi suegro decidió invitar a sus cuatro hijos y sus cónyuges a un crucero por el Caribe. Aunque estaba bien de salud era una persona mayor y sabía que muy pronto ya no podría hacer un viaje así; además, era el momento antes de que llegaran los nietos porque ya una de mis cuñadas estaba embarazada. Mi suegro era un tipazo, un señor muy divertido y para todos era un placer conversar con él. Aunque en su familia no había "días sagrados de la familia", a todos nos gustaba reunirnos con él y con mi suegra, que era muy inteligente.

Pero ¡oh tragedia!, se cruzaba el aniversario de mis padres. Mi madre no me dijo nada directamente, empezó a decir a mis hermanos que tal vez lo mejor era no celebrar ni hacer cena porque no íbamos a estar completos. Mis hermanos comenzaron a llamarme para pedirme que me quedara porque estaba destrozando a mi madre. Me puse furioso por la manipulación de todos y los mandé a volar. Nos fuimos al crucero, pero no lo disfruté. Todo el tiempo me sentí culpable y no lo pude evitar.

La finalidad del chantaje es que el manipulador obtenga todo lo que quiere sin pedirlo. Cuando no obtiene lo que quiere se conforma con provocar sentimientos de culpa, manteniendo así el control que tiene sobre la otra persona. Cuando un individuo ha sido manipulado desde la infancia seguirá siendo vulnerable a la manipulación toda su vida, a menos que decida liberarse e inicie un proceso de recuperación.

Una de las formas más dañinas de manipular por parte de los padres es "ayudando", pretenden resolver todos los problemas y necesidades de sus hijos para hacerse indispensables y conseguir así su dependencia. Algunos hijos acaban reaccionando y se rebelan ante la ayuda no deseada, pero muchos otros quedan atrapados en una dependencia materna o paterna tan enfermiza que difícilmente logran construir una relación de pareja estable; tarde o temprano regresan a vivir con su madre o su padre que, triunfantes, los reciben con los brazos abiertos.

Violencia verbal

Los padres son el centro del universo de un niño y, por lo tanto, son quienes más daño pueden causar. Lo que ellos expresan, para el niño es verdad. Cuando una madre le dice a su hijo que es inadecuado o defectuoso, esto se convierte en una creencia y el conjunto de creencias es la base para una autoestima alta o baja.

Las burlas constituyen heridas dolorosas en el amor propio del niño. El poner sobrenombres es un verdadero insulto a la dignidad de los menores, lo mismo que las actitudes y comentarios devaluatorios como: "No sirves para nada", "Eres igual de torpe que tu padre", "Tragas como un cerdo", "Tu madre es una cualquiera", "Eres un inútil". La violencia verbal no consiste únicamente en insultos y palabras incisivas, los sarcasmos y burlas hieren profundamente a un menor. Los comentarios sádicos: "Cuándo no", "Tenías que ser tú", "Ya te estabas tardando", son agresiones que devalúan la imagen que el niño tiene de sí mismo. Muchas veces el rechazo se expresa con desprecios como: "Ya no te quiero", "Me avergüenzo de ti" o "¿Tienes que estar pegado a mí todo el tiempo?". Las palabras más dañinas que puede escuchar un niño son: "Quisiera que nunca hubieras nacido".

Una mujer escuchó durante toda su infancia que no podía hacer nada bien ni tampoco podía terminar lo que empezaba. Esto quedó tan arraigado en ella que fue como una programación de computadora. Si barría, dejaba un rincón de la habitación sucio, no se lo explicaba, simplemente no podía. Si arreglaba una cómoda dejaba un cajón desordenado, si ponía la mesa, faltaban los vasos, y así con todo lo que hacía. Era costurera de oficio y muy buena, pero tenía una asistente para dar el retoque final a los vestidos, porque ella simplemente no podía hacerlo.

Acudió a una terapia de grupo porque le atormentaba que sus noviazgos nunca terminaban en matrimonio, de algún modo ella los echaba a perder. En la terapia descubrió, al escucharse a sí misma, que era incapaz de terminar algo porque si lo hacía tendría que estar mal. Para tratar de romper con este condicionamiento se propuso rematar por sí sola algunos vestidos. Echó a perder dos o tres, pero finalmente lo logró. Dos años después se casó y disfruta cada vez que concluye algo.

Una manera de hacerle saber a un niño que su opinión no importa es interrumpiéndolo cada vez que habla o diciéndole que se calle; el menor llegará a la conclusión de que lo que diga carece de importancia. Los mensajes contradictorios o confusos estresan al menor y siente enloquecer tratando de descifrar los deseos de sus padres. Algunos de éstos cambian las reglas según su estado de ánimo, lo que un día está bien, está mal al siguiente. Más confuso resulta la contradicción entre lo que se dice y lo que se hace. Una madre puede pasarse la mitad de la vida diciendo a su hija que no critique y la otra mitad criticando a su vecina.

Rechazo

El niño rechazado vive en la frecuente espera de ser aceptado por el progenitor que lo evita y busca a toda costa un reconocimiento de su parte. Como éste nunca llega, el niño termina por convencerse de que no tiene valía.

Muchas madres deciden no amamantar a sus hijos con el pretexto de que eso deforma su figura, no se dan cuenta de que le están negando al bebé la satisfacción de una necesidad natural, no sólo de nutrición sino de afecto y defensas que únicamente pueden obtenerse con la leche materna. No acaba de llegar el niño al mundo y su "figura es más importante". Aunque el niño no comprenda el lenguaje, sí percibe el rechazo.

Discriminación

Existe otro tipo de violencia hacia los hijos que tienen, o parecen tener, distintas preferencias sexuales. En el programa de radio hemos recibido muchas llamadas de hombres y mujeres jóvenes víctimas de agresiones homofóbicas por parte de su familia. La violencia emocional y física es tan cruel que ha llegado hasta la muerte. No hace mucho supimos de un caso en el que un padre mató a su hijo porque no pudo resistir la ira que le provocaba que fuera homosexual. Las agresiones constantes pueden ser sólo verbales, como: "Te prefiero muerto que maricón", o abiertamente físicas. Cuando el niño muestra cualquier tipo de conducta o amaneramiento, los padres tratan de corregirlo a golpes: "Para que te hagas hombrecito". La violencia de la no aceptación es una de las formas más graves de rechazo. Desgraciadamente, las reacciones homofóbicas son producto de una cultura que también lo es, pero, sobre todo, de una gran ignorancia. La homosexualidad no se escoge.

También son víctimas de este tipo de violencia algunos niños y jóvenes que, sin ser homosexuales, tienen comportamientos feminizados, o masculinizados en el caso de las mujeres, y sufren de agresiones constantes. En mi caso, el hecho de haber sido un niño tímido que prefería tocar el piano y leer que jugar futbol hacía que escuchara de mi padre y mi abuelo comentarios sobre si yo iba a ser maricón. Hoy sé que debo haber sido sólo un niño sensible y bastante frágil que, por alguna razón, prefería dibujar o tocar música a los juegos violentos. Ya en la edad adulta en infinidad de ocasiones he sido acusado de ser homosexual, simplemente por mi actitud feminista cuando expreso que no tolero el maltrato a las mujeres. Esta polarización de los comentarios homofóbicos a un niño, sin ser homosexual, cuyos padres consideran el machismo como la máxima jerarquía sobre la tierra, lastiman al menor, no sólo al que es homosexual sino también a aquellos que no adoptan el patrón o estereotipo impuesto.

Abandono

En boca de un niño
la palabra madre significa Dios.
PELÍCULA *EL CUERVO*

El abandono es otro tipo de violencia familiar, entendido éste como el acto de desamparo, ya sea por uno o varios miembros de la familia, hacia el menor, con quien se tienen obligaciones que derivan de las disposiciones legales. El incumplimiento de este compromiso puede manifestarse en la falta de alimentación e higiene; en el control y cuidado doctrinario; en la atención emocional y el desarrollo psicológico, o en la atención de necesidades médicas solicitadas tardíamente. Muchos problemas de desnutrición son consecuencia de la negligencia.

TESTIMONIO DE UN HOMBRE DE 37 AÑOS

Acudí a terapia porque estaba a punto de perder mi matrimonio. Mi mujer se quejaba de mi manera obsesiva de trabajar. Era el primero en llegar a la oficina y me quedaba hasta altas horas de la noche, aunque no fuera necesario. En una ocasión olvidé nuestro aniversario, la había invitado a cenar y la dejé plantada. La verdad es que ni yo sabía por qué no me interesaba nada que no fuera mi trabajo; ni siquiera era capaz de hablar de otra cosa. Mi mujer decía que sus amigas se quejaban de los maridos que hablaban demasiado de futbol, pero que ella preferiría mil veces ese tema al de mi trabajo.

Cuando el terapeuta me pidió que le hablara de mi infancia no creí que tuviera algo que ver, sin embargo, después me hizo ver que sí. Mi madre era deprimida, la recuerdo siempre en bata tirada todo el día frente a la televisión. No hacía nada y la casa se venía abajo si yo no me ponía a limpiar, a hacer la comida y a cuidar a mi hermanita. Mi padre siempre me encargaba que vigilara a mi mamá porque estaba enferma, y que no se quedara sin comer. Yo hacía todas esas cosas y más, iba a la tienda y hasta lavaba el carro. Mi padre apreciaba mucho lo que yo hacía y me lo decía, sin embargo, parecía molestarse cuando tenía que estudiar y me alejaba de alguno de mis "deberes". Solucioné esto estudiando por las noches.

Ahora sé que fui víctima de abandono y no sólo eso, me invirtieron los papeles. En vez de ser atendido por mi madre fui un adulto pequeño que cuidaba de ella. Trabajo como loco porque no aprendí otra cosa. Sigo tratando de agradar a mi padre sin darme cuenta. He tenido que hacer un gran esfuerzo por aprender a disfrutar de la vida, a relajarme y a ser capaz de entablar una conversación que no trate del trabajo. Al futbol todavía no le encuentro el chiste.

El abandono puede llevarse a cabo de distintas maneras. Los niños que son enviados a internados, por caros que sean, son víctimas de abandono. Con frecuencia los padres alegan que están tratando de dar una buena educación a sus hijos, la verdad es que, por alguna razón, son un estorbo para ellos. Muchos son los testimonios de niños y niñas que fueron atacados sexualmente en esos internados.

Otro caso de abandono se presenta cuando los padres dejan al niño en manos de una nana de la que no saben nada. Ni siquiera se detienen a pensar que la muchacha a quien están contratando para que sustituya a la madre puede ser violenta y abuse de los niños, lo que importa es que alguien más se encargue de ellos. La responsabilidad aquí es enteramente de los padres por mucho que quieran después culpar a la agresora de los menores.

TESTIMONIO DE UNA TÍA

Mi hermana tiene tres niños pequeños que aún no van a preescolar. Desde que nació el primero contrataron a una muchacha para que fuera su nana. Siempre decían que era una maravilla porque trataba bien a los niños y se quedaban solos con ella, tanto de día como de noche. La semana pasada la nana desapareció junto con algunas joyas y ropa de mi hermana. Al revisar su cuarto encontraron varias fotografías en las que aparecía la nana junto con un tipo y los niños. Todos estaban desnudos en la sala de su casa. No quise ver las fotos, pero ella me contó que estaban haciendo cosas. Mi hermana casi enloqueció y fue a poner una denuncia. Está haciendo todo por encontrarla y darle su merecido. Lo malo es que mientras se dedica a buscar su venganza los niños se quedan en manos de su nueva nana, de la que tampoco sabe nada.

Violencia entre hermanos

Los niños aprenden de los padres y de los medios de comunicación (televisión, cine, tiras cómicas, etcétera) el ejercicio de la violencia como medio para resolver problemas. En una familia de dos o más hermanos se empieza a dar una lucha de poder en la que, si hay un menor vulnerable, será dominado por los otros a través de golpes o verbalmente. Todo parece un juego de niños y frecuentemente los padres dejan pasar la situación o aplican un castigo, también violento, reforzando así el aprendizaje de que es un instrumento para resolver conflictos. Por desgracia, pocos son los padres que enseñan a los hijos a resolver las diferencias por medio del diálogo. En la edad adulta, estos niños violentos pueden aparentar quererse, pero el odio despierta cuando se presentan situaciones como la repartición de una herencia. Muchas familias se han desintegrado por esas causas.

En el programa de radio hemos recibido una cantidad considerable de testimonios de mujeres que de niñas fueron violadas por sus hermanos mayores. Estos muchachos, educados en el machismo, creen que las mujeres son seres inferiores que pueden utilizar a su antojo. Por la misma educación, la niña ha sido condicionada a la sumisión. El hombre suele ser el consentido de la madre, quien se afana en atenderlo, mostrando una preferencia que deja a la niña indefensa.

No es raro que una madre o un padre tengan un hijo favorito, actitud que generará resentimientos y falta de autoestima entre los hermanos, especialmente en aquellos con una personalidad vulnerable. Las comparaciones continuas que hace este tipo de padres van dañando la imagen que un niño tiene de sí mismo hasta que se convence de ser inferior e inadecuado, pero también fomentando un odio hacia el hermano que tarde o temprano estallará en alguna forma de violencia. Cuando los padres comparan, los hijos luchan para conseguir un sitio especial ante ellos y, en esta competencia, los hermanos ejercen diferentes tipos de violencia. En la Biblia se describe cómo José fue vendido por sus hermanos (GÉNESIS 37, 25). Hay madres que abiertamente ponen a un hermano contra otro. También en la Biblia, Rebeca aconseja a su hijo Jacob para que engañe a su padre ciego y suplante a su hermano, de manera que reciba las bendiciones que correspondían al otro por ser el primogénito (GÉNESIS 27).

La exigencia de la perfección

Muchos padres se esmeran en exigir a sus hijos un grado de perfección inalcanzable. Como el niño nunca puede hacer algo perfectamente bien crece con la idea de ser incapaz, y no importa lo que haga ni qué tan bien lo haga, siempre se quedará con la sensación de que pudo hacerlo mejor. Muchos adultos en el curso de la terapia se percatan de que, aunque sus padres dejaron de existir, ellos siguen tratando de cumplir con sus expectativas. Otros que respondieron con rebeldía temen el éxito, porque en el fondo creen que triunfar en algo es capitular y dar gusto al padre perfeccionista.

Autoestima o violencia

La autoestima es el factor que decide el éxito o el fracaso de cada niño como ser humano.

El niño que posee una *autoestima elevada* es el que más probabilidades tiene de triunfar y ser feliz. Todo padre que se preocupe por sus hijos debe ayudarlos a creer firme y sinceramente en sí mismos. La doctora Dorothy Corkille Briggs, en su libro *El niño feliz, su clave psicológica* hace un excelente análisis de la conformación de un modelo de autoestima sólido, y lista las condiciones necesarias durante la infancia para lograrlo. Yo recomiendo ampliamente la lectura de este libro a todos los padres, a los que ya lo son y a los que planean serlo.

Un niño sano, además de nacer con salud, necesita que esta salud se consolide y no se afecte por circunstancias ajenas a su estado original. Es claro que un pequeño que ha nacido sano, si vive con un padre violento o abusivo, o bien con una madre neurótica, se va a ver afectado desarrollando cierta vulnerabilidad, quizá no tan intensa como la del enfermo emocional genético. De hecho, muchos de ellos logran superar los traumas de la infancia y desarrollan una vida normal cuando recuperan la autoestima. Cuando no ocurre, se convierte en un enfermo emocional que probablemente termine siendo una persona violenta, o bien una víctima de la violencia, como los adictos a relaciones destructivas.

Toda persona que pase con el niño periodos prolongados tendrá una fuerte influencia sobre su autoimagen. Lo que el infante siente respecto de sí mismo afecta su manera de vivir la vida. La autoestima elevada se funda en la creencia, por parte del niño, de ser valioso y digno de amor, es por esto que toda violencia, agresión y humillación destruyen la seguridad que pueda tener en sí mismo.

El daño psicológico que se hace a los niños no siempre se debe al carácter destructivo o cruel de los papás, sino a la ignorancia. Muchos padres, queriendo lo mejor para sus hijos, los destruyen sin darse cuenta. Es importante abrir los ojos y reflexionar sobre cómo los estamos tratando. La ignorancia no es pretexto para hacer daño. La siguiente lista es un ejemplo de actitudes que muchos padres llevan a cabo sin darse cuenta de que están dañando la autoestima del niño:

- Recordarle constantemente sus errores pasados
- Hacer hincapié en sus defectos
- No reconocer sus logros
- Imponerle responsabilidades de adulto
- Callarlo o correrlo siempre que intenta expresarse
- Resolver todos sus problemas
- Chantajearlo con frases como: "Se ve que no me quieres"
- Hacer bromas a su costa o burlarse de él
- Compararlo con otros niños o ponérselos de ejemplo
- Presionarlo para cumplir las expectativas de los padres
- No explicarle claramente los motivos de un castigo
- Permitirle chantajear o manipular
- Ignorarlo

El niño debe saber que importa por el mero hecho de existir, debe sentirse competente en el manejo de sí mismo y de su entorno. Necesita sentir que tiene algo que ofrecer a los demás. La alta autoestima no es engreimiento; ésta consiste en que el pequeño se sienta serenamente cómodo de ser quien es.

El niño, por naturaleza, busca autorrespetarse. Cuando se siente inepto, puede someterse a una vida de autodestrucción y de retracción, o bien desarrollar diversas defensas que le permitan conservar la autoestima. Las defensas neuróticas se erigen en torno de la creencia de ser indigno de amor y carente de valor. Una de las defensas más obvias es la agresividad. Cuando las defensas alejan a los demás, el niño deja insatisfecha su necesidad de reflejos positivos.

Si el niño se convence de que no es bueno, se verá obligado –por la necesidad de conservar su coherencia interna– a evitar que le lleguen mensajes positivos acerca de sus aptitudes. La baja autoestima rígida es el resultado de la acción de varios factores negativos durante mucho tiempo. Las actitudes negativas del niño hacia sí mismo se pueden transformar en autoestima si se le brinda un clima de aceptación y experiencias de éxito.

Los antecedentes de comportamiento agresivo en la niñez son un factor que permite predecir el riesgo de que una persona cometa actos de violencia en la edad adulta. También los niños víctimas de abuso o que presencian la violencia crónica en su hogar son más propensos a ejercerla ellos mismos. Además de la reproducción del comportamiento violento en la edad adulta de los niños que fueron víctimas o testigos de la violencia doméstica, tienden a presentar problemas durante la niñez. Los menores que presencian violencia cotidiana en el hogar presentan más problemas de disciplina, adaptación y comportamiento, así como una mayor probabilidad de repetir grados escolares.

Un padre y una madre preocupados por el sano desarrollo de sus hijos no sólo deben preocuparse por alimentarlos y educarlos, necesitan estar muy conscientes de transmitir continuamente amor a sus niños. Pero no hablamos nada más de abrazos y besos, estamos diciendo que un niño se siente amado cuando vive en medio de expectativas realistas, encuentros seguros, aceptación comprensiva de todos sus sentimientos, aunque se limiten sus actos a una disciplina democrática. El hecho de que el niño se sienta amado es la base de la alta autoestima. Con este sólido núcleo, sus potenciales se desplegarán y será una persona motivada y creativa que habrá de encontrarle sentido a la vida. Se relacionará exitosamente con los demás, gozará de paz interna, resistirá las tensiones y tendrá mayores probabilidades de realizar un matrimonio feliz. Y cuando le llegue su turno, podrá ser un padre o una madre capaz de criar a sus hijos.

La función de ser padres no es fácil, pero es algo que elegimos. Por otro lado, los hijos sólo son niños por un breve periodo de tiempo. Quienes están conscientes de esto y deciden traer niños al mundo, ven esta función como lo más importante de esta etapa de sus vidas. Saben que está en sus manos cuidar la autoestima de sus hijos como factor fundamental para su futuro. Los padres debemos proteger a nuestros hijos de los riesgos, no ser el riesgo.

IV. Otros grupos vulnerables

No sólo las mujeres, los hombres y los niños son víctimas de la violencia doméstica. Tal vez son los que cuentan con más posibilidades de denunciar la violencia. Existen otros grupos más vulnerables que se ven obligados a callar, ya sea porque les es imposible hablar, o quizá se encuentran en un callejón sin salida. Debido a esto, es dudoso que existan estadísticas confiables y, en la mayoría de los casos, sólo nos enteramos a través de aquellos que alzan la voz en su defensa.

Ancianos maltratados

Al estar en la etapa final de su ciclo de vida, los ancianos son vulnerables a muchas formas de maltrato. Con frecuencia padecen violencia por omisión, es decir, se les priva de alimentos, bebidas, medicamentos, aseo elemental y afecto. Al perder la capacidad de caminar, son recluidos en el rincón más apartado de la casa sin tener contacto con otro ser humano durante horas. En climas extremos, no se les provee de calefacción o ventilación adecuada.

La violencia que reciben los ancianos va desde comentarios denigrantes como "¡viejo inútil!", "eres un estorbo", "eres una carga" o "sólo das lata" hasta actitudes como dejarlos aislados y sin comer por largos periodos de tiempo, encerrarlos contra su voluntad e incluso golpearlos. Un gran número de ancianos padece de una violencia familiar oculta, consistente en la negación de la participación del anciano en tareas productivas dentro o fuera del hogar.

Los adultos mayores son igualmente vulnerables que los menores debido a la dependencia física, económica y emocional. Ellos lo permiten por miedo a estar solos en esta última etapa de su vida. Muchos son obligados a vivir en un asilo o albergue donde prácticamente se les abandona y rara vez reciben una visita.

La violencia patrimonial es una de las más comunes en nuestro país y ocurre en todos los medios sociales y económicos. Las personas que viven en la ciudad de México recordarán un espectacular montado en el Anillo Periférico con la fotografía de una anciana tras las rejas y un letrero en el que denunciaba a su hijo. Más tarde, en una entrevista nos enteramos de que su hijo, un hotelero adinerado, con el fin de quitarle su patrimonio había conseguido, mediante la corrupción, que la encerraran en una cárcel de Acapulco.

Ha sido muy utilizada también la práctica de declarar al anciano deficiente de sus habilidades mentales para despojarlo de sus bienes. En muchos casos se les encierra contra su voluntad en una habitación, aislándolos del mundo, como esperando a que se deterioren y mueran.

Una persona que tiene 75 años puede empezar a presentar lagunas mentales, trastornos de memoria o repetir constantemente el mismo recuerdo. Es probable que no tenga trabajo por estar jubilado o retirado. Estos factores pueden ser motivo para el menosprecio y desprecio de todos en la familia. No es raro escuchar: "Mi papá es muy necio", "Ya me cansé de escuchar mil veces la historia de su romance con la abuela". Qué tan violentos podemos ser para olvidar que ese ser humano, que ahora no puede consigo mismo o con la vida, fue quien nos dio la existencia y el alimento; nos permitió vivir y sobrevivir, y fue nuestro ejemplo y guía para bien o para mal. Ahora deambula como fantasma arrastrando los pies, a veces con ayuda de un bastón y esperando que alguien se detenga y le diga: "¿Cómo estás abuelo?". Preguntémonos: ¿qué tanto cuidamos su alimentación y cobijo?; o, más aún, ¿qué tanto los escuchamos y nos preocupa si se siente realmente querido y aceptado? O por el contrario: ¿es víctima de un violento, silencioso y sórdido rechazo de todos aquellos que aún disfrutan de las capacidades y de los dones que la naturaleza les dio?

Esta forma de violencia oculta no se menciona y en raras ocasiones es denunciada. En casi diez años de programa, no recuerdo que nos haya hablado un anciano para decir que se siente mal porque es agredido con el silencio de su familia y percibe que es una carga para ellos y trata de no causar más molestias.

Los ancianos que padecen la enfermedad de Alzheimer se encuentran en desventaja. Sus familiares aprovechan la pérdida de memoria sabiendo que no podrán ser acusados, pero el que estas personas olviden no quiere decir que no sientan. Perciben la hostilidad y sufren aunque no comprendan, en muchos casos, quién arremete contra ellos ni por qué.

Testimonio de una joven técnico en gericultura

Mi trabajo central es el cuidado de ancianos. He trabajado en asilos privados y de asistencia, así como en casas particulares. La razón por la que los ancianos no denuncian el maltrato familiar es porque ya están incapacitados, o tienen miedo de provocar más agresiones en su contra por parte de los familiares, porque dependen de ellos.

La mayoría de los ancianos que se encuentran en asilos han sido internados por sus hijos, y los pocos que llegan por su voluntad lo hacen por escapar de las agresiones de que son víctimas en su casa, las cuales van desde los desprecios y los insultos, hasta los golpes.

Es muy doloroso ver heridas en un anciano que no puede defenderse; las lesiones emocionales son más graves y difíciles de curar porque suelen venir de sus propios hijos, quienes son lo más querido en su vida. Los hijos siempre alegan que el anciano está mintiendo, pero, por experiencia, puedo decir que la tristeza no miente y ésta, que responde a la traición de un hijo, no se puede fingir. Son muy pocos los que reciben visitas esporádicamente, la mayoría está abandonada, olvidada y triste.

En la mayoría de los casos son víctimas del despojo. En un asilo privado, pero humilde, desde hace año y medio vive una anciana que heredó junto con su sobrina la casa de su padre. La sobrina aceptó que ella viviera ahí y con el tiempo verían qué trámites legales tendrían que hacer para poder vender la casa y repartirse cada cual su parte. Un día apareció su hijo suplicándole que le permitiera hospedarse ahí sólo por un tiempo, mientras conseguía un lugar donde vivir. Le propuso que a cambio él asumiría los gastos de la casa. Ella terminó aceptándolo y él se mudó ahí con su mujer.

Con el tiempo, la madre empezó a ver malas caras, gestos de desprecio e insultos. La violencia fue aumentando hasta que su nuera la golpeó. Aunque está bien de sus facultades, es una anciana que no puede defenderse. Pidió ayuda a sus dos hijas que están casadas y con niños. Por una temporada vivía una semana en casa de una y la siguiente en casa de la otra, pero al poco tiempo decidieron que les era muy difícil cuidar niños y atender a su madre. Fueron estas hijas quienes la llevaron al asilo.

Cuando se salió de su casa puso una demanda por despojo. Ya han transcurrido casi dos años y el asunto continúa igual: sólo yendo a declarar cuando se lo solicitan. Hoy en día, ella sigue en el asilo y el hijo sigue metido en su casa.

Cuando el anciano padece Alzheimer con frecuencia la crueldad se agudiza. Esta enfermedad los vuelve vulnerables porque, aunque sufren las agresiones, no entienden qué pasa. Después se les olvida y, al día siguiente, no pueden relatar lo que les ha ocurrido.

Fui contratada para cuidar a una mujer con Alzheimer. Su hijo me pidió que hiciera todo por darle una buena calidad de vida; dijo que la quería mucho y lo único que deseaba es que estuviera lo más a gusto posible. Esta señora me inspira mucha ternura y me dio gusto encontrar un hijo así. Al poco tiempo, la enfermedad se aceleró y la señora dejó de hablar, ahora sólo balbucea. El hijo se mudó entonces con su mujer y se instalaron.

Mientras yo estoy ahí, entran de vez en cuando y la abrazan y la besan y le dicen que la quieren mucho. Me parecía que esto era fingido, pero después me decía que no era posible: ¿para qué fingir con una persona que no tiene idea de quién eres? Así que pensaba que era mi imaginación. Después empecé a ver cómo transformaban y remodelaban la casa. Cuando uno pasa varias horas todos los días en una casa se percata de toda la dinámica familiar. Advertí que él no trabaja y viven del dinero de la señora, de hecho me pagan con cheques de una cuenta de ella, en la que el hijo tiene firma.

Después me enteré de que existe otra hija que vive en provincia y ahí fue cuando supe lo que estaba pasando. Se trata de un despojo, fingen todo ese cariño cuando estoy ahí porque me están utilizando. Sé que la señora no hizo testamento, así que cuando venga el pleito de la herencia van a querer que yo sea testigo de que fue el hijo quien se preocupó, quien me contrató y me pidió que le diera buena calidad de vida y quien entraba de vez en cuando a demostrarle su cariño, mientras que a la hija jamás la vi. Esto es muy común, muchos colegas y enfermeras han sido utilizados así, yo conozco al menos tres a los que ya les pasó.

Lo peor es que si tengo que ser testigo no podré decir más de lo que vi; me han contado que a uno le hacen preguntas en las que se contesta sí o no. Es probable que el hijo se quede con todo, pero gracias a Dios la señora no lo sabrá, y como tampoco se da cuenta de lo que está ocurriendo, yo sigo atendiéndola; tratando de que esté lo más a gusto posible porque, cuando yo no estoy... no sé qué sucede.

Rara vez se nos ocurre pensar en que muchos de nosotros llegaremos a la ancianidad. Aunque no sabemos si alcancemos a presenciarlo, es un hecho que el promedio de vida ha aumentado en las últimas décadas y el futuro se verá con una enorme población de adultos mayores. Lo que hagamos ahora para fomentar la calidad de vida de nuestros ancianos repercutirá en nuestro futuro. El ejemplo que brindamos a nuestros hijos en el trato a nuestros padres, se reflejará en el cuidado que nos den a nosotros cuando necesitemos de ellos.

Maltrato a personas con discapacidad

Muchos incapacitados son víctimas de la marginación y el rechazo social. Suelen padecer actitudes de franca hostilidad física, emocional, social y económica. Pero la violencia social que se ejerce contra ellos va mucho más allá del rechazo directo. No son tomados en cuenta para permitirles circular libremente en caso de estar confinados a una silla de ruedas; pocos sitios públicos cuentan con rampas de acceso y, cuando existen, algunas no tienen la inclinación adecuada; la mayoría de nuestras aceras no son aptas para estas sillas y usualmente tienen que trasladarse por el arroyo vehicular. Las personas con ceguera difícilmente encuentran señalamientos o literatura en Braile. Los programas de televisión hechos en México no cuentan con letreros para sordos, como en otros países. Sólo una persona con cierta discapacidad puede explicar lo limitado que es su mundo por la falta de estas consideraciones.

Los malos cómicos que se presentan en la televisión, al no tener la creatividad para hacer reír a la gente, hacen chistes burlándose de ciertas incapacidades. Con frecuencia escuchamos el chiste del "loco", el "tuerto", el "gangoso" o el "cojo". Seguramente su cerebro no les alcanza para pensar que están siendo vistos por personas que padecen estos problemas y que, siendo el problema de su vida, se sienten muy heridos. Los ofenden como si se tratara de un defecto provocado por ellos mismos.

Una persona con alguna discapacidad –sordera, ceguera, parálisis o debilidad mental, por ejemplo– enfrenta una serie de dificultades totalmente ajenas a quienes gozan de buena salud. En ciertos casos la familia, en lugar de tratar de allanar los obstáculos que se les presentan, utiliza esas mismas dificultades para segregarlo y marginarlo.

TESTIMONIO DE UNA MUJER DE 42 AÑOS

Mi hermano Fernando se había sentido el hombre más feliz sobre la Tierra cuando la trabajadora social de la clínica le avisó que había tenido un hijo varón. Contaba ya con dos niñas a las que quería mucho, pero su mayor ilusión era tener un varoncito que llevara su nombre.

Fernandito aprendió a caminar hasta que cumplió un año y medio, y aunque parecía querer hablar no podía pronunciar una sola palabra. Tampoco parecía poner mucha atención cuando se le hablaba y, a veces, reía o gritaba sin ninguna razón aparente.

Lo llevaron a consulta y el pediatra de la clínica los mandó con un neurólogo, quien, después de examinarlo, dio el diagnóstico fatal: Fernandito padecía un retraso mental severo; requería cuidados especiales, y jamás sería una persona normal. Su papá cambió desde ese día. Empezó a beber alcohol con frecuencia y optó por ignorar al niño, excepto cuando lloraba, y le pedía a gritos que se callara. Comenzó a pegarle al niño cuando tendría cinco años de edad. Yo iba a visitarlo y empecé a ver moretones. Su mamá me decía que se caía mucho porque era torpe; que se tiraba las cosas encima; que se machucaba con la puerta, y muchas otras mentiras. Como el niño no habla no podía contar lo que le pasaba.

Un día me pidieron que lo cuidara por una semana porque iban a ir a visitar a la familia de mi cuñada en Michoacán, y para el niño el viaje en autobús podía resultar cansado. Entonces descubrí que Fernandito era muy tranquilo, no hacía cosas que lo lastimaran. Mientras estuvo conmigo no se golpeó una sola vez y se le quitaron los moretones. Todo estuvo muy bien porque él es un niño lindo y mis cuatro hijos lo quieren mucho y le hacen mucho caso.

Cuando vinieron por él fue cuando mi esposo y yo nos dimos cuenta de que al ver a su papá su carita cambió y se veía asustado. Su papá ni siquiera lo volteó a ver ni lo saludó, como si no existiera o como si vinieran a recoger la plancha. Su mamá sí lo abrazaba.

Cuando se despidieron, mi marido les dijo que nos lo dejaran otro día porque lo íbamos a extrañar. Fernando le contestó en tono de broma: "Si quieres te lo regalo".

Se fueron y empezamos a platicar de lo que veíamos y de los moretones. Estábamos casi seguros de que lo golpeaban, pero no sabíamos qué hacer. Mi hermano no es de esas personas a quien se pueda enfrentar. Además, qué tal que se desquitara con el niño. No queríamos denunciar porque dicen que a los niños así se los llevan a unos asilos muy feos. Entonces mi marido me dijo: "Si el cabrón de tu hermano no lo quiere, nosotros sí".

A los tres días fuimos a ver a mi cuñada y le dijimos que lo extrañábamos mucho, que yo me la pasaba llorando; y sí era cierto, pero de coraje. Mi esposo le dijo que lo dejara venir a pasar un tiempo con nosotros, también para que ella descansara y, sobre todo, que viera lo contento y lo "bien" que estaba en nuestra casa. Eso la convenció. Se ve que ella sufría mucho cuando lo golpeaba, y aunque le dolía que se fuera, lo dejó ir. Pobrecita mi cuñada, al principio lo venía a ver casi diario y se regresaba llorando, pero nunca se lo quiso llevar.

Un día mi esposo se encontró a Fernando bien borracho, y éste le dijo: "Qué bueno que te lo llevaste. Yo te lo regalé. A mí no me sirve pa' hijo".

Fernandito ya cumplió 12 años. Es un angelito, le damos gracias a Dios que nos lo envió. Ahora que los grandes ya se me fueron a la universidad él es mi compañía. Con sus terapias ha ido aprendiendo algunas cosas y dice algunas palabras. A mí me dice "mamá". La primera vez que lo dijo me solté llorando, de por sí que soy bien chillona. También aprendió a asearse él solo y a hacer unos dulces que luego vende a los vecinos.

Mi hijo el grande ya acabó su carrera y está trabajando, aunque apenas se va a casar. Su novia es enfermera y los dos quieren mucho a Fernandito. Ya me dijeron que yo no me preocupe por él porque cuando yo ya no lo pueda cuidar ellos se van a encargar y hasta le hicieron fideicomiso en el banco. Yo espero que falte mucho para eso porque ese niño es nuestra alegría.

Mi hermano se fue con su mujer y sus hijas a Michoacán porque se quedó sin chamba. No hemos vuelto a saber de ellos y mejor, ¿para qué quiero yo que les entre la culpa? Algo que decidimos mi esposo y yo fue: "A este niño nadie lo vuelve a molestar, primero nos mudamos que dejar que se le acerque su papá".

No hace mucho pudimos presenciar en los noticieros el caso de una niña con retraso mental que fue descubierta encadenada dentro de una vivienda de bajos recursos. Por mucho que nos haya escandalizado este caso, como el anterior, no es aislado: la violencia contra las personas con incapacidad suele ser cruel y frecuente; el problema es que por su situación no tienen la capacidad de pedir ayuda, mucho menos de denunciar.

La violencia que se ejerce contra los discapacitados viola sus derechos. La misma familia utiliza apelativos como el cojo, el chueco, el tarado, el paralítico o el deforme. Muchas veces no se atreven a manifestar el rechazo abiertamente, pero se les hace sentir de mil formas que son un estorbo o una carga. Cuando el discapacitado es el centro de atención médica y gastos económicos para la familia, la agresión es más violenta. Cuando una familia gira alrededor de un miembro con discapacidad, éste se vuelve objeto del resentimiento de los sanos, los privilegiados, los funcionales, que sienten que se les está quitando parte de la atención que merecen o del reconocimiento al que tienen derecho por ser normales, sin que ellos hayan hecho algo para serlo.

En muchas comunidades indígenas de nuestro país un niño con alguna discapacidad es considerado como una maldición o un asunto del demonio, esto provoca que se les maltrate. Muchos discapacitados difícilmente podrán llamarnos al programa de radio para contarnos su historia, de la misma manera tampoco tienen la posibilidad de denunciar el delito que se comete contra ellos. La dependencia que tienen del apoyo familiar les hace callar.

Una forma de violencia real es la que sufre un niño incapacitado a causa de la vergüenza que algunos padres ignorantes sienten por tener un hijo así.

Testimonio de una joven de 17 años

Conocí a Marina cuando tenía 12 años de edad. Su papá había sido el mejor amigo del mío en la preparatoria y se dejaron de ver cuando él se fue a vivir a San Luis Potosí. Nos habían invitado a pasar dos semanas en su casa para que las dos familias nos conociéramos. Ellos tenían dos hijos y Marina, que era de mi edad. Ella y yo nos hicimos muy amigas y a partir de entonces yo pasaba todas las vacaciones con ellos, eran como mis primos.

Los conocí muy bien, o eso era lo que yo creía. El verano pasado ella iba venir a pasar el segundo mes de vacaciones conmigo. Le estaba ayudando a bajar una maleta de un clóset cuando de pronto cayó al piso un aparato ortopédico para caminar que paracía ser de niño. Yo me sorprendí porque en esa familia todos se veían bien. Le pregunté de quién era y me contó que tenía una hermana enferma que estaba interna en la ciudad de México en una clínica especial porque tenía retraso mental.

Me sentí muy desconcertada. Había convivido con ellos muchas veces y jamás oí que la mencionaran. Además, no aparecía en ninguna fotografía de la sala o en las que estaban en la recámara de sus papás. Cuando pude hablar a solas con mi mamá, le pregunté si ella lo sabía, después de todo se había hecho muy amiga de la mamá de Marina y hasta habían viajado juntas. No sabía nada y también se sorprendió.

Esa noche hablé con Marina y le pregunté por qué nadie hablaba en su casa de su hermana. Y ella, estando en la misma ciudad, ¿cómo era posible que no hubiera acudido a visitarla? Me dijo que no sabía por qué no se tocaba el tema y ante mi segunda pregunta se sintió culpable. Al día siguiente, me pidió que la acompañara a comprar una muñeca para llevársela a Sofía.

Fue muy impresionante. La famosa clínica era más bien una especie de asilo no muy limpio, que ni jardín tenía. Sofía estaba acostada en una cama y se alegró al ver la muñeca, pero esto no ocultó la tristeza en sus ojos, recuerdo que pensé que ella era la tristeza misma. No reconoció a Marina, hacía 12 años que no la veía. Le preguntamos a la cuidadora por qué no caminaba; Marina recordaba que con los aparatos había logrado hacerlo cuando tenía cuatro años. La mujer explicó que hacía mucho que ya no podía, era obvio que la terapia de rehabilitación se había suspendido.

Cuando salimos de ahí lloramos las dos y mucho. Yo no podía comprenderlo. Tengo un primo débil mental y es la adoración de todos, lo incluimos en todo y es parte importante de la familia. Marina se puso muy mal, de pronto le cayó encima la realidad al darse cuenta de que su familia, tan cariñosa, había vivido cometiendo un acto de crueldad imperdonable y ella participaba en eso. Fue entonces cuando se dio cuenta de lo que pasaba: sus padres se avergonzaban de su hija, y enviándola lejos, no hablando de ella y no teniendo su fotografía sobre el piano la habían desaparecido de su mundo. Para las amistades, Sofía no existía.

Al llegar a la casa llamó a sus papás. Fueron casi dos horas de reclamos y llantos por el teléfono, del otro lado también lloraban. Y todo este drama familiar culminó con el traslado de Sofía, no a San Luis, a Guanajuato a una clínica más costosa que estaba en "mejores condiciones".

Testimonio de la psicóloga Ana Latapí Sarre, de la Confederación Interamericana para la Defensa de Personas con Discapacidad

Ningún padre o madre está preparado para aceptar la llegada de un hijo con alguna discapacidad. Cuando el problema es de nacimiento, se experimenta un shock tremendo, la herida es profunda porque lastima el propio instinto de procreación. Conozco al menos cuatro casos de padres suicidados por no haber sido capaces de tolerar esa realidad. Es frecuente que el padre abandone a la familia y culpe a la mujer de la situación; después, la madre puede culpar al hijo de toda su desgracia.

No existen programas gubernamentales para prestar ayuda a los padres y educarlos al respecto. Existe mucha ignorancia y esto hace que el niño con discapacidad no reciba el trato adecuado. Hemos sido testigos de muchos casos de parálisis cerebral en los que, como el niño no puede hablar ni coordinar sus extremidades, los padres creen que no piensa y no se da cuenta de nada, ignoran que su nivel intelectual y emocional es normal. Muchos casos con posibilidad de rehabilitación se quedan estancados también por ignorancia o por falta de apoyo en regiones alejadas.

Todo el esfuerzo que se realiza para la defensa y el apoyo a personas con discapacidad lo llevamos a cabo los padres y, sobre todo, las madres. Nos hemos organizado en grupos, asociaciones y confederaciones para crear conciencia, obtener fondos para centros de ayuda y presionar a las autoridades para que cambien la legislación.

No existen estadísticas confiables acerca de la violencia familiar y la violencia institucional que padecen los discapacitados. Uno de los asuntos que la Confederación ha tratado es precisamente en el área de investigación, la cual debe ser seria y profesional. Hace poco tiempo se consiguieron fondos de Canadá para llevar a cabo esta labor, que no es fácil porque resulta casi imposible penetrar más allá de la puerta de un hogar.

Lograr algunos cambios en las legislaciones ha sido una tarea larga y ardua. A raíz del siguiente caso, que expusimos a organismos internacionales, logramos algunos avances.

Vicente era un joven débil mental. Se reunía con una pandilla de muchachos de su colonia. En una ocasión irrumpieron en una propiedad privada para robar un radio. De pronto fueron descubiertos; los muchachos le dieron el aparato a Vicente y se echaron a correr. A Vicente lo detuvo la policía y lo enviaron a la cárcel. Su padre, desesperado, acudió a todas las instancias posibles tratando de sacarlo de la cárcel; intentó demostrar que debido a su retraso mental no podía ser responsable. Por desgracia, la ley no consideraba su caso. Mientras tanto, Vicente estaba siendo víctima de una crueldad bestial en la cárcel, y, como consecuencia, murió ahí antes de que su padre pudiera hacer algo por él.

Este caso ha servido para presionar el cambio en la legislación y se consiguió el derecho al juicio de interdicción. Sin embargo, aunque se han logrado avances, todavía no existe en México una legislación adecuada y, mucho menos, un sistema que funcione.

Muchos hijos de padres conscientes que quisieron proteger a sus hijos heredándoles bienes o dinero, después son víctimas de despojo por parte de sus mismos familiares. Es el caso de Gerardo, un muchacho con debilidad mental. Al morir su padre, dejó la casa a su nombre. La hermana, casada y con niños, alegó que no podía vivir solo y se mudó con él. Al poco tiempo lo pasó al cuarto de servicio. Luego llevó a una señora mayor, su madrina, a vivir con ellos. Ésta padecía de incontinencia y requería de ayuda. Gerardo se convirtió en su esclavo. Era él quien tenía que limpiarla, alimentarla, dormir con ella y obedecer todas sus órdenes.

Casos como éste no son raros, lo extraño es que nos lleguemos a enterar.

TESTIMONIO DE LA MADRE DE UNA NIÑA

CON DISCAPACIDAD

Mi hija Susana es una de tantas víctimas de la famosa Talidomida. Cuando nació, mi mundo se derrumbó: le faltaba un brazo y una de sus piernitas era sólo un muñón. Tuve que lidiar con muchas cosas al mismo tiempo, empezando por el profundo dolor de madre que sabía que iba a sufrir aunque no imaginaba cuánto. Su padre me echó la culpa y, más tarde, cuando se hizo público el asunto de la Talidomida, yo también me sentí culpable por haber acudido con el médico que me atendió y por haber ingerido el medicamento. También sentía una ira tremenda contra el doctor, el laboratorio y las autoridades que permitieron que esto sucediera. Además, como futura madre esperaba dedicarle a mi hija los años de la infancia y la adolescencia para después dejarla encargarse de su propia vida. Pero esto significaba que, como las madres con niños con discapacidad mental, yo tendría que ser madre el resto de mi vida.

Mi esposo no estuvo en la sala de parto; fue informado del estado de la bebé antes que yo, y nunca lo volví a ver. Ahí mismo en el hospital les dijo a mis padres que no quería saber de mí, y menos del monstruo que había engendrado. Con ayuda de un primo abogado conseguí una pensión alimenticia y, dos años después, el divorcio por abandono de hogar.

Susana estaba bien de sus facultades mentales y tenía la capacidad de estudiar como cualquier otro niño. Ninguna escuela particular de niñas la aceptó y yo tenía miedo de las escuelas públicas porque pensaba que los niños podían ser crueles. Hizo toda la primaria y la secundaria con maestros particulares en la casa y tuve que mover cielo, mar y tierra para que presentara los exámenes en la Secretaría de Educación Pública. Fue aceptada en una preparatoria particular; nunca se le agredió de manera directa, pero las reacciones de otros alumnos (gestos de horror y comentarios que alcanzaba a escuchar) le afectaron mucho y la dejó. Pasó muchos años sin querer salir; le gusta la lectura y ver la televisión. Fue recientemente, ya con 40 años, cuando se ha animado a seguir estudiando con los avances tecnológicos. Hizo la preparatoria abierta, y ahora con el programa de la universidad abierta está estudiando Filosofía y Letras. La computadora le ha transformado la vida y, por un conocido, ha empezado a trabajar haciendo corrección de estilo para una editorial de revistas.

Gracias a la Internet está en comunicación con muchas personas con discapacidad. Según me explica, esta tecnología le ha abierto puertas que siempre estuvieron cerradas a personas discapacitadas. Tiene muchas amistades con sordera, en sillas de ruedas y hasta personas que no pueden ser expuestas a los rayos solares.

Por mucho tiempo guardé un gran rencor contra su padre por habernos abandonado y por haber llamado "monstruo" a mi hija. Ahora sé que nos hizo un favor. He conocido un caso en el que el padre también llamó monstruo a su hijo, pero no se largó de la casa; lo ha llamado así por más de 40 años, cada vez que lo ve. Este muchacho, estando en mejores condiciones que Susana, jamás estudió ni salió de su casa, debido al rechazo de su padre y a la sumisión de su madre. Por fortuna, hace algunos meses una fiebre se lo llevó.

Como sociedad no ayudamos mucho. Las personas con discapacidad suelen ser olvidadas en todos los ámbitos. Algo que sorprende es la cuestión del deporte. Nuestras federaciones gastan fortunas en preparar y enviar a competencias extranjeras a una gran cantidad de jóvenes que regresan sin medallas. Cuando uno de ellos logra obtener alguna, hay cantos y alabanzas en todo el país. Nuestros deportistas con discapacidad reciben poco o ningún apoyo económico y por lo general todo corre por cuenta de sus padres. Nos llenan de medallas de oro, plata y bronce, pero no reciben el mismo reconocimiento, no hay bombo y platillo para ellos.

En las familias mexicanas, a menos que tengan un integrante con discapacidad y se le trate como ser humano, no se educa a los niños para respetarlos y en muchas ocasiones se fomenta la burla y el desprecio.

Trabajadoras domésticas

Cuando hablamos de familia descartamos automáticamente a otras personas que viven bajo el mismo techo. Al utilizar las palabras "vida doméstica" no se puede excluir a estas personas, en su mayoría mujeres, que asisten en las labores del hogar.

Es común que niñas menores de edad dejen sus hogares (campesinos o urbanos) y se vayan a las ciudades en busca de estos trabajos por motivos de pobreza. En la mayoría de los casos se les asigna una habitación inmunda; se les hace trabajar más de ocho horas diarias, y deben estar disponibles las 24 horas del día por si se ofrece algo. Comen en la cocina alimentos más económicos y reciben sueldos bajos sin derecho a Seguro Social, Afore, Infonavit, aguinaldo, vacaciones, liquidación o cartas de recomendación. No hay sindicato al que puedan acudir y su única prerrogativa es poder abandonar el trabajo sin previo aviso.

Hay muchos casos de hombres casados con mujeres bellísimas, cultas e inteligentes, y ellos aparentemente también, que se la pasan encima o detrás de las faldas de cuanta servidora doméstica ven. Se trata de individuos incompetentes, cuya sexualidad con la esposa es deficiente porque sienten que ella es más poderosa sexualmente que ellos, más sensible o de mejor categoría. Por lo general son inseguros, eyaculadores precoces que ejercen el poder sexual con una mujer a la que han jerarquizado muy por abajo de ellos, es decir, con las servidoras domésticas, indígenas o mestizas, con quienes sí se sienten poderosos sexualmente.

Es probable que estas muchachas sientan que es un derecho del señor porque quizá fueron violadas por su papá y aprendieron que los hombres tienen derechos sobre las mujeres. En muchas familias se ha asumido que parte del trabajo de una sirvienta es el servicio sexual hacia el jovencito de la casa. Incluso éste ha sido tema de infinidad de telenovelas y películas.

Hay una deformación en esta modalidad del abuso sexual y del incesto: es el hijo del patrón, del patriarca; de hecho, quien tiene poder es el niño de la casa y la muchacha cree que debe servirle. O si es un joven de buen ver, puede que sea el objeto de las fantasías de la muchachita, esto parecería como natural porque lo es, lo que no es natural es que se convierta en una ofensa sexual, donde el poderoso acosa y ejerce su poder sexual, violando los derechos sobre el cuerpo de una menor, o de una mujer no ilustrada que desconoce cuál podría ser su actitud frente a él. De hecho éste es el tema de la primera telenovela que existió: *Simplemente María*, la cual ha sido la base para casi todas las demás.

Por otra parte, cuando la trabajadora doméstica culpa al niño con su patrona, ésta la corre o la acusa de mentirosa, o le ofrece dinero para que se calle. En esta complicidad viven muchísimas madres con su hijito, al que hay que cuidar y proteger; presumen de tener un gallito y que los demás cuiden a las pollitas o a las gallinas.

En el caso de las sirvientas, niñas abusadas por el patrón o por el hijo del patrón, podemos decir que también es incesto. ¿Qué sucede? Niñas abusadas sexualmente que quizá debido a su actitud de sumisión se convierten en presa fácil del violador.

Todo lo anterior y el trato como seres inferiores son formas de violencia doméstica porque habitan bajo el mismo techo. En muchas casas el perro recibe una mejor atención. No se trata de que el animal deba ser maltratado, sino de que cualquier ser humano debe ser valorado aun mejor. En muchos hogares la violencia ejercida contra estas mujeres es mayor. Abundan los casos de encierro involuntario y maltrato físico. En ocasiones pueden pasar semanas sin que se les pague, entonces permanecen ahí con la esperanza de recuperar lo que les pertenece.

Los casos de violación por parte del patrón o del hijo del patrón son innumerables, muchas veces tolerados por la patrona, quien jamás declararía en contra de los suyos. Si resultan embarazadas son echadas a la calle, sabiendo que llevan las de perder si osaran denunciar o demandar, porque la familia y su supremacía económica protegerán al violador.

La sociedad utiliza muchos pretextos para ejercer este tipo de violencia: "es la costumbre", "es culpa de la pobreza", "que agradezcan que tienen la oportunidad de trabajar". Las autoridades fingen no estar al tanto, porque finalmente tienen sirvientas en su casa y no desean promover la aplicación de una legislación que los lleve a darles las prestaciones y demás derechos a los que la Ley del Trabajo obliga.

Infinidad de personas olvidan que las trabajadoras domésticas son seres humanos con sentimientos y necesidades afectivas. Que con el tiempo se encariñan con los niños y hasta con los patrones, ofreciendo una fidelidad que pocas veces es apreciada.

Hoy en día algunos "luchadores sociales" roban cámara gritando a favor de los derechos indígenas y presumen con sus amistades la foto que tienen en la sala de su casa, donde aparecen con el Subcomandante Marcos, pero tienen una o dos muchachas indígenas trabajando en malas condiciones. Como se han urbanizado y no usan listones de colores, ya no las consideran indígenas.

Culpar al gobierno, a la pobreza o a la costumbre es parte de la violencia. Se trata de violencia doméstica y debe corregirse en donde se ejerce. No porque los demás lo hagan quiere decir que está bien. Comenzando por nuestros hogares debe reconocerse que la trabajadora doméstica es un ser humano con las mismas necesidades y derechos que cualquier trabajador y, si habita bajo el mismo techo, ese techo es su hogar mientras viva ahí.

TESTIMONIO DE UNA MUJER DE 21 AÑOS

Vine de mi pueblo a los 14 años de edad. Me trajo una prima que ya tenía tiempo aquí y ella me consiguió el trabajo con una familia de la colonia San Rafael en la ciudad de México. Yo no sabía muchas cosas porque todo es diferente a como era en mi casa. No sabía hacer camas porque allá no tenemos, tampoco sabía cómo acomodar las cosas y a veces se me rompían y la señora se enojaba mucho y me descontaba dinero de mi sueldo.

Me regañaba porque no ponía el mantel adecuado o porque doblaba un pantalón en lugar de colgarlo. Decía que yo era muy tonta, pero ¿cómo iba a saber? El señor no me hablaba, ni las gracias daba cuando le servía la comida y a mí me daba miedo.

Había un hijo de 18 años que se burlaba de mí. Me hacía que le lavara su carro todas las mañanas y que les sirviera refrescos y cervezas a él y a sus amigos; luego, me hablaba muy feo enfrente de ellos, me decía la *chacha* o la *gata*. Una noche que no estaban los señores se metió a mi cuarto y me pidió perdón por sus groserías y deseaba que nos lleváramos bien. Estaba borracho, me empezó a abrazar y decía que me quería, que si quisiera a otra no estaría ahí y que yo era muy bonita. Luego me empezó a tocar y a besar hasta que me quitó la ropa y nos acostamos. Después me violó. A mí me dolía mucho y quería quitármelo de encima, pero no pude. Cuando acabó me dijo que dolía sólo la primera vez y que luego me iba a gustar.

A mí no me gustó y le fui a decir a la señora. Ella se enojó y dijo que seguro yo lo andaba provocando, que era una resbalosa y que no me metiera con su hijo porque me iba a echar. Pero su hijo lo hizo otra vez y después sólo se reía, me decía que a mí nunca me iban a creer, así que mejor me quedara callada. Yo tenía miedo porque no conocía la ciudad y no sabía cómo ir adonde estaba mi prima; tenía que esperar a que ella me viniera a buscar. Pero no venía y eso pasaba a cada rato hasta que quedé embarazada. No dije nada hasta que vino mi prima y ella habló con la señora, quien se enojó mucho y dijo que eran puras mentiras, que seguro me salía cuando ella no estaba y me veía con alguien y ahora quería sacar provecho o algún dinero. Nos echó a la calle y dijo que no volviéramos por ahí. Luego le habló a la patrona de mi prima y cuando llegamos ya estaban sus cosas en la calle.

Los animales

En este capítulo no podemos excluir el tema de los animales. El hombre ha hecho cautivos a estos seres y han prestado muchos servicios a la humanidad. El perro ha sido compañía y defensa del hombre por siglos. Mucho se ha dicho que es el mejor amigo del hombre y esto se debe a la fidelidad y cariño que muestran estos animales por sus amos a pesar de ser maltratados.

Cualquier animal doméstico depende de su amo para sobrevivir, y este hecho lo hace vulnerable. Muchos individuos enfermos y cobardes que no se atreven a enfrentar a los de su propia especie se desquitan contra los animales. Lo que quieren es sentirse poderosos, es tal su complejo de inferioridad que no son capaces de demostrarse a sí mismos, o a otro ser humano, que valen por algo. Entonces tratan de manifestárselo al perro o al gato lastimándolos porque sólo así pueden sentirse grandes.

Cuando se aprecia la compañía de un animal y se le respeta, éste puede convertirse en un gran compañero, pero muchos padres compran cachorros a sus hijos como si fueran un objeto más, y luego descubren que es una carga y lo echan a la calle. Es muy sano que un niño crezca con un perro cuando se le enseña que es un ser que siente y responde. Muchos niños aprenden a ser responsables al cuidar a sus mascotas. El cariño que un niño puede llegar a sentir por su perro es enorme y cuando alguien más en la casa lastima a su perro está hiriendo profundamente a su dueño.

V. La propia
violencia interna

*La violencia es la transformación de la impotencia
en la experiencia de la omnipotencia;
es la religión de los lisiados psíquicos.*
ERICH FROMM

En algún momento de nuestra vida hemos descargado algún
tipo de violencia hacia el exterior. Esa violencia interna debe
ser descubierta y reconocida por cada uno si queremos evitar
hacer daño a nuestros seres queridos. La responsabilidad es
personal porque nadie va venir a curarnos. El principal problema es que no la vemos, la hemos negado por tanto tiempo que,
en muchos casos, está en verdad oculta. Reconocer la propia
violencia interna es un acto de responsabilidad que requiere
honestidad y humildad. Mientras no la examinemos y enfren-
temos seguiremos siendo violentos, de una u otra manera, con
los demás y con nosotros mismos.

Es importante distinguir entre la agresión que responde al
instinto de supervivencia y la cruel. La agresión por supervivencia se manifiesta como defensa ante un peligro inminente, o como
medio para satisfacer alguna necesidad básica para sobrevivir,
como es la obtención de alimento. Esta agresión se presenta en
la naturaleza de todos los animales y estamos equivocados cuando

decimos que un hombre cruel es un *animal*. La crueldad es exclusiva del ser humano y esto está comprobado científicamente.

El ser humano creó un nuevo tipo de agresividad cuando inventó la propiedad privada y le dio importancia. Una vez cubiertas sus necesidades básicas quiso poseer más de lo necesario y, al obtenerlo, se dio cuenta de que esto le daba cierto poder sobre aquel que no lo poseía y se sintió superior, probó el elixir del poder y deseó tener más: así nació la *voracidad*. Pero esta superioridad es falsa y vulnerable porque depende de la conservación de la propiedad; el hombre cree que es aquello que posee y ante la posibilidad de perderlo reacciona como si su propia existencia fuera amenazada. Se convierte así en esclavo de su propiedad; cree que para *ser* más necesita adquirir más. Busca tener mayor riqueza que el otro porque su idea de superioridad requiere de comparación, de que exista alguien que es menos, y la manera de conseguirlo es quitándole lo que tiene. Así, logra dos objetivos: aumentar su propiedad y disminuir al otro para poder compararse.

Ésta es la base del sistema económico mundial y el motivo de todas las guerras. Un país trata de arrebatar a otro su riqueza; sus dirigentes inventan una excusa para conseguir el apoyo de su pueblo y atacan. Los disculpas que mueven a las masas son de diferente índole: a veces se usa el pretexto religioso, otras el de la defensa; se le hace creer a la masa que existe una amenaza, y hasta se lleva a cabo la farsa de un ataque, como lo ha hecho Estados Unidos, para iniciar un movimiento bélico. De alguna manera saben muy bien cómo despertar la pasión ciega de la multitud. Se han realizado masacres en nombre de la paz, la libertad, la democracia, etcétera; la realidad es que detrás de cada atrocidad siempre está la *voracidad*, el deseo de arrebatar algo que el otro tiene.

Tomemos cualquier ejemplo
de falsedad o de violencia,
y se encontrará que detrás de ellos
está el deseo de obtener un fin acariciado.
M. K. GANDHI

Al volcarse el ser humano hacia lo material y convertirlo en su único objetivo, su vida interior se va quedando hueca. La sensación de vacío lo atormenta y trata de llenarlo con lo que tiene afuera de sí: dinero, propiedades, comida, alcohol, drogas y experiencias estimulantes. Pero nada de esto llena jamás ese tipo de oquedad y, en el fondo, se siente cada vez más vacío. Tiene un enorme miedo de perder lo que posee porque cree que sin eso quedará reducido a algo menos que un gusano.

Cuando este complejo de inferioridad es inmenso, el individuo pierde su capacidad de relacionarse afectivamente y actúa con brutalidad porque no considera al otro como un ser humano. Se siente impotente y busca, de manera frenética, volverse poderoso; en ocasiones la única "emoción poderosa" que encuentra es el odio. La palabra amor es sólo una palabra que utiliza a su conveniencia, no experimenta la emoción del amor y ése es el vacío que le atormenta.

El deseo de poder
no se arraiga en la fuerza
sino en la debilidad.
ERICH FROMM

En el momento en que alguien ejerce la violencia contra otra persona o ser vivo, se ha desconectado emocionalmente; desaparece cualquier inhibición, y puede alcanzar las formas más graves de destrucción. En el acto de crueldad o destructividad la persona no está consciente de que el otro es un ser que siente.

Éste es el caso de ciertos padres golpeadores, que muchos de ellos no se desconectan emocionalmente por un momento, sino que son incapaces de ligarse desde un principio con alguien.

La inseguridad que tiene este tipo de persona es tan grande que siente un enorme miedo; este temor es tan amplio que es capaz de hacer cualquier cosa para deshacerse de él: emborracharse, drogarse o ponerse agresivo. En el momento de atacar, el dolor del miedo desaparece.

Como su sentido de identidad se basa en su imagen ilusoria, reacciona cuando ésta se ve amenazada. Por esto no tolera ningún tipo de crítica y se defiende con violencia. Su narcisismo es como una gran burbuja de jabón que se ve bella, pero es vulnerable, no de ser dañada, sino de desaparecer completamente. Su voracidad no tiene límites, se trata de una pasión con una fuerza tremenda que es síntoma claro de un mal funcionamiento psíquico y un profundo vacío interior. Esta pasión se refuerza en la actualidad con toda la publicidad que intencionalmente trata de convencer al individuo de que necesita aquello que le quieren vender. Cuando la persona lo cree y no tiene los medios para adquirirlo puede recurrir a la violencia como medio para conseguirlo.

Aunque existe una patología todavía peor: la del individuo que disfruta viendo padecer y, más aún, causando él mismo el dolor. La crueldad de una personalidad sádica es escalofriante. El sádico busca realzar su sensación personal de dominio debido a una enorme sensación de impotencia que le atormenta. Son individuos con un alto grado de frustración. Están frustrados por su incapacidad de conmover a otros, de hacerse amar, y compensan esta impotencia con la pasión de tener poder sobre los demás.

El sádico siempre tiene mucho miedo y éste es un sentimiento inquietante. Un hombre puede ser capaz de cualquier cosa para librarse de él. Uno de los medios para desembarazarse del temor y la ansiedad, además de la fuga con alcohol, drogas o sexo, es ponerse agresivo porque cuando uno empieza a atacar, el carácter del miedo desaparece.

Además de la personalidad sádica existe otra que busca aniquilar. En sus primeras expresiones, el ansia por destruir se manifiesta en una atracción pasiva por los relatos de crímenes, las notas rojas de los noticieros, las películas violentas y las escenas de sangre y crueldad. El individuo busca excitación en su vida aburrida y ésta es la manera más rápida de obtenerla.

> Creo que todos llevamos en nuestro interior
> el deseo de destruir algo.
> TESTIMONIO DE UN DEMOLEDOR ESTADOUNIDENSE

Hay una línea muy delgada entre el disfrute pasivo de la violencia y la crueldad y las miles de formas de disfrute activo de la destrucción, entre el placer de hacer una broma y la acción brutal.

Las personas sádicas no tienen contacto con nadie, se relacionan sólo superficialmente. No sienten ningún afecto ni son capaces de experimentar la alegría o el pesar. La vida no les motiva y son como muertos en vida. A diferencia de los depresivos, no tienden a culparse a sí mismos ni se preocupan por sus fracasos, tampoco se muestran melancólicos. La mayoría aparece perfectamente normal ante los ojos de los demás. Su insoportable sensación de aburrimiento e impotencia les hace cometer el acto violento para que, con la reacción del otro, se rompa la monotonía de su experiencia cotidiana. En la sociedad existen grupos que practican el culto a la destructividad, como el Ku-Klux-Klan.

La destructividad está ligada a la estructura de carácter de un individuo. La persona destructiva busca su realización en la ruina y el odio porque no tolera la insignificancia de su existencia, que está desarraigada socialmente. Aquellos que tienen una estructura de carácter favorable a la vida no se dejan seducir por el poder, mientras que quienes no la tienen buscan el poder absoluto sobre otro ser vivo, son malévolos e intentan convertirse en el dios del otro.

Es fácil encontrar a alguien a quien mandar: un hijo, una esposa, un empleado o un animal. En la burocracia lo vemos en todos los niveles; es común ver a alguien que se somete ante su jefe y se desquita con los de abajo. La experiencia del poder absoluto sobre otro crea la ilusión de trascender los límites de la existencia de aquel cuya vida carece de productividad y alegría. A estos individuos sólo los estimulan los seres inermes, nunca los fuertes.

Testimonio de una mujer de 45 años

Siempre creí que yo amaba a mi madre, y hasta que estuve en terapia me di cuenta de que en realidad la odiaba porque siempre fue sádica. Desde que recuerdo siempre me hizo sentir culpable y ése era el hilo que jalaba para manipularme. Cada vez que podía me echaba en cara que yo quería matarla, y desde niña yo hacía todo para demostrarle que no era así, que la quería mucho, pero nada funcionaba.

Recuerdo que cuando tenía 11 años estaba haciendo su drama en mi recámara y, de pronto, bajó a la cocina y subió con el cuchillo más grande que tenía. Lo puso en mis manos y me gritaba: "Mátame de una vez, ¿es lo que quieres, verdad?, mátame". Siempre que iba al médico decía que estaba enferma de los corajes que yo le obligaba a hacer. Eso me hacía sentir culpable y, además, jamás era capaz de decirle "no". Crecí diciéndole que sí a todo, aun cuando ya no vivía con ella.

Me casé, y cuando ya llevaba más de dos años de terapia le confesé a mi terapeuta que yo no era capaz de decirle que no a mi madre y me seguía manipulando. Me llamaba para que me encargara de sus cosas y pedirme los favores más absurdos y ridículos, y yo seguía complaciéndola. La terapeuta me sugirió que me preparara para decir que no a su siguiente petición, fuera lo que fuera. Así lo hice, y cuando volvió a llamar para pedirme que la llevara al hospital militar ese mismo día porque tenía una cita con el médico a las cinco de la tarde, le dije que no. La tomé por sorpresa y no dijo nada, sólo colgó el teléfono. Pero yo no me sentí triunfante, me sentí espantosamente culpable, tanto que llamé a la terapeuta. Ella me dijo que tenía que aguantar, que no cediera y me mantuviera firme, que no era fácil romper un condicionamiento tan fuerte.

Me aguanté con mucha dificultad toda la tarde, pero a las nueve de la noche no pude más y llamé a su casa. La sirvienta contestó el teléfono y me dijo que acababan de llamar del hospital militar para avisar que mi madre había fallecido. Mi sentimiento de culpa se volvió tan grande que sentí que enloquecía, me arrepentí de haberle dicho que no y pensé que cargaría con ese remordimiento el resto de mi vida.

Llamé a mi hermano a Querétaro y me dijo que él se encargaría de los trámites en el hospital y que, mientras, yo fuera arreglando el funeral. Mi esposo me acompañó a la agencia funeraria e hizo los arreglos, yo no podía ni hablar y sentía que me quería morir. Como me vio tan mal se preocupó, porque además estaba embarazada, así que después de pagar una fortuna para el servicio, me llevó a la casa para que descansara y no asistiera al velatorio hasta el día siguiente.

Después de las once de la noche llamó mi hermano, que acababa de llegar al hospital. Me dijo que no había ningún cadáver y mi mamá estaba en su casa, que no le llamara porque estaba encantada de habernos asustado de ese modo. Entonces, por primera vez vi lo que nunca antes quise ver: ella disfrutaba haciéndonos sufrir. Todas las justificaciones que yo me inventé como decir "lo hacía lo mejor que podía" o "su intención era buena" se derrumbaron y tuve que enfrentar la realidad, el hecho cruel de haber tenido una madre que jamás me quiso.

El sentimiento de importancia personal
inevitablemente produce conflicto, lucha, dolor,
porque tienes que mantener
tu importancia todo el tiempo.
J. KRISHNAMURTI

El individuo violento teme a todo lo que es incierto. Su inseguridad es tan grande que busca la comodidad de lo predecible; no le gustan las sorpresas, y atacará primero ante la amenaza de verse rechazado. Sólo se relaciona cuando tiene el poder absoluto sobre el objeto de su amor y lo puede controlar. Puede torturar y matar, pero no por eso deja de ser un individuo sin amor, aislado del mundo y temeroso.

Es común que los individuos sádicos o destructivos actúen como personas generosas. Crean esta imagen porque en el fondo son cobardes. Hitler, por *amor* a su país, destruyó a sus enemigos y a Alemania misma; Stalin, que se decía *padre* de su país, casi lo aniquiló, y Mussolini era otro cobarde que aparentaba valor, pero temía a las sombras. En este punto es importante cuestionar el *valor* del macho mexicano y sus demostraciones de *valentía*, así como la deformación del significado, porque es increíble que se llame valiente al que se emborracha cuando en realidad no es más que un cobarde evadiendo la realidad en el aturdimiento del alcohol.

La verdad excluye el uso de la violencia.
M. K. GANDHI

En ciertas personas son varios los factores que provocan el sadismo o la destrucción. Por un lado está la predisposición genética y, por otro, las idiosincrasias de la vida familiar y social, así como los sucesos excepcionales de la vida.

La predisposición genética es sólo el terreno fértil, pero no es suficiente; el rechazo materno, los fracasos y la violencia familiar pueden hacer que la violencia germine en el carácter de un individuo como modo de vida. Todas las condiciones familiares que tienden a que un niño se sienta vacío e impotente, como las que causan miedo e inseguridad, son ingredientes importantes, tanto como la pobreza psíquica de un menor a quien nadie escucha. Los niños que no desarrollan lazos afectivos con su madre sienten una soledad intolerable que más tarde se traducirá en frialdad.

Las experiencias traumáticas durante los primeros años de vida de un ser humano juegan un papel determinante en la formación del carácter, especialmente en aquellos que hayan creado resentimientos y odio. Como mecanismo de defensa el niño se vuelve insensible a las agresiones de las que no se puede defender y esta insensibilidad puede quedar arraigada en él.

Una persona que ama la vida quiere *ser*, no *tener*; elige construir en vez de acaparar y conservar. Las personas inseguras se consideran incapaces de construir y prefieren no hacer el esfuerzo ante el miedo al fracaso que tienen. Siempre es más fácil destruir que construir. Quiere influir por la fuerza y no por el amor, desea que se le ame a la fuerza.

En la mayoría de los individuos violentos encontramos factores comunes, como una tremenda inseguridad, cobardía, sentimientos de impotencia, sensación de inferioridad, timidez, narcisismo extremo, envidia a quien posee ciertas cualidades, falta de capacidad para ligarse afectivamente y falta de alegría. Las personas destructivas son peligrosas, partidarias de la guerra, el racismo, el derramamiento de sangre y la aniquilación. Muchas se convierten en ejecutores, terroristas, torturadores, celadores y verdugos.

Los destructivos siempre racionalizan su destructividad y justifican todos sus actos violentos. Se convencen a sí mismos de poseer la razón; difícilmente reconocerán que padecen un problema, y es casi imposible que pidan ayuda. Niegan la existencia de sus deseos reprimidos adquiriendo rasgos exactamente opuestos, como declararse vegetarianos para ocultar su atracción a los cadáveres. Como no pueden sentir amor o ternura no tienen amigos, sólo se rodean de aquellas personas que les son útiles, ya que les sirven de víctimas, de público o de admiradores. Lo más peligroso de estas personas es que no son fáciles de reconocer antes de que empiecen su labor destructora.

Estructura del carácter

El carácter de un individuo es lo que motiva su comportamiento según sus fines dominantes. Decimos que una persona actúa instintivamente de acuerdo con su carácter porque procede sin preguntarse por qué lo hace. Una persona avara no se pregunta si debe ahorrar o gastar, simplemente ahorra, y una persona cariñosa ama y comparte de manera espontánea.

Los impulsos condicionados por el carácter son tan fuertes que nos parecen "naturales" y nos es difícil creer que haya otras personas diferentes. Cuando nos percatamos de que existen preferimos pensar que esos individuos están mal porque tienen reacciones antinaturales. La realidad es que lo "natural" es distinto en cada persona: se puede tener estructura de carácter amable o destructor.

Las manifestaciones de agresión maligna, las pasiones destructivas y sádicas de una persona suelen estar organizadas en su estructura de carácter. Cuando el impulso sádico es parte dominante en esta estructura, motiva al individuo a comportarse en forma sádica, limitando sus acciones sólo por interés de su propia conservación. El impulso está constantemente activo y sólo espera la situación apropiada para manifestarse y si ésta no llega, la fabricará. La fuente de la pasión sádica está en el carácter y todos tenemos estructuras diferentes con impulsos predominantes diferentes.

Los principales rasgos de la estructura del carácter responden a necesidades existenciales del ser humano, pero estas respuestas pueden ser diferentes. A la necesidad de un objeto de devoción, uno puede responder con fervor a Dios, al amor o la verdad; o con la idolatría. A la necesidad de relacionarse, un individuo puede responder con amabilidad y amor; o con dependencia, sadismo o destructividad. A la necesidad de unidad y arraigo, con solidaridad, hermandad, amor o experiencias místicas; o con la despersonalización, el alcohol o las drogas. A la necesidad de efectividad, con amor o trabajo productivo; o con destructividad y sadismo. A la necesidad de estímulo y excitación, se puede responder con el interés productivo, el arte, el amor; o con una voraz búsqueda de placeres siempre distintos.

El amor, la solidaridad, la justicia y la razón están interrelacionados y son manifestaciones de una orientación favorable a la vida. El sadomasoquismo, la destructividad, el narcisismo, la voracidad y el carácter incestuoso también están conectados y son manifestaciones de una orientación desfavorable a la vida. La persona común y corriente es una combinación de ambas orientaciones y lo que orienta el comportamiento de alguien es la fuerza preponderante de una de las dos.

La orientación de estos estímulos puede estar determinada por factores neurológicos, pero también se ve influida por las condiciones sociales y las experiencias traumáticas del individuo. Cuando una persona está orientada a favor de la vida presentará conductas racionales que favorecen el bienestar y el desarrollo. Por otro lado, si en ella predomina una orientación contraria a la vida seguirá conductas irracionales que tienden a debilitar y destruir.

La venganza

Erich Fromm describe la destructividad vengativa como una reacción espontánea al sufrimiento intenso e injustificado que surge ante lo que se interpreta como un daño. Surge después de haber causado daño y, por lo tanto, no se trata de un mecanismo de defensa contra un peligro que amenaza, ya que es de una intensidad mayor y persigue una consecuencia cruel, viciosa e insaciable.

Todas las formas de castigo son expresiones de venganza. Muchas veces, cuando se escucha el reclamo: "Quiero justicia", lo que se está pidiendo es venganza. No existe justicia para reponer la muerte de un ser querido ni cantidad de dinero suficiente que lo traiga de vuelta, por consiguiente, lo que se pide es venganza.

¿Por qué la pasión de la venganza es tan intensa y honda? De alguna manera tenemos la idea de que la venganza es, en cierto sentido, un acto mágico; creemos que al aniquilar a quien cometió la atrocidad se deshace mágicamente su acción. Esto se expresa hoy todavía diciendo que con su castigo el criminal ha pagado su deuda. Aunque nuestras prisiones se llamen centros de rehabilitación, sabemos que son cárceles de castigo.

Aun suponiendo que la venganza lograra algún tipo de reparación, que fuera como dicen algunos "la dulce venganza", sigue en el aire la pregunta: ¿por qué es tan intenso ese deseo de reparación? Lo que ocurre es que en nuestro deseo de vengarnos estamos tratando de borrar la página y de negar mágicamente que el daño haya sido causado.

La reacción del deseo de venganza surge ante aquello que nos parece arbitrario y parece ser que la envidia tiene el mismo origen. Caín no pudo tolerar que Dios prefiriera las ofrendas de Abel y lo mató. El rechazo de Dios era arbitrario y no estaba en su poder cambiarlo, esto suscitó tal envidia en él que ni siquiera la muerte de su hermano le bastó para su compensación.

El deseo de venganza es tan fuerte que el hombre trata de tomarse la justicia por su mano cuando le fallan Dios o las autoridades. Es como si su pasión vengativa lo elevara al papel de ángel de la venganza. Precisamente a causa de esta elevación el acto de la venganza puede ser su obra más sublime.

Fromm especuló que la pasión de la venganza es fuerte porque tal vez se genere como una defensa contra la conciencia de nuestra propia destructividad, mediante el artificio proyectil: "Son de ellos, yo no, los destructores y crueles". Las personas más vengativas son aquellas con un carácter inquieto y una personalidad narcisista, para quienes el más pequeño detrimento despertará un intenso deseo de desquite. En estos casos se trata de individuos con caracteres donde el deseo de venganza está constantemente presente.

Tal vez todos los seres humanos hayamos experimentado, en algún momento de nuestra vida, el deseo de la venganza, pero el grado de intensidad varía según la estructura del carácter. Así, encontramos individuos en los que la venganza se vuelve el objetivo de su vida. Viven para desquitarse, rumiando su odio y alimentándolo, junto con sus resentimientos; sufren mucho pero no conocen otra forma de vivir; su deseo de desquitarse es la energía que los mantiene vivos y pueden llegar a enloquecer si algún día llevan a cabo su venganza porque, por un lado, no encuentran en ella la felicidad que buscaban y, por otro, se les termina el propósito de su vida.

El odio y el resentimiento son una tortura, y cuando nos damos cuenta de que nos afecta sólo a nosotros, tratamos de liberarnos de ellos. Pero uno no se libera matando al otro, Caín no se liberó de nada, sólo agregó la culpa a su infierno.

El perdón parece ser la única solución, pero no el perdón falso que por años ha planteado la Iglesia Católica, sino una indulgencia que de verdad nos libere de la carga.

Personalidad psicopática

Hemos recibido en la radio muchas llamadas de madres acongojadas porque su hijo presenta conductas delictivas y nos piden consejos. Con frecuencia, la respuesta ha sido: "Usted no puede hacer nada". Puede sonar hasta cruel, sin embargo, tenemos que reconocer y decir la verdad tal cual es cuando estamos hablando de problemas para los que la ciencia aún no ha encontrado solución. La mayoría de los casos a los que se refieren estas llamadas corresponde precisamente a la descripción de una personalidad psicopática. La importancia de dar a conocer sus características estriba en el peligro que esta enfermedad representa para otros individuos y para la sociedad misma.

Este trastorno está considerado como el problema psiquiátrico readaptatorio más grave al que se enfrentan las escuelas de tratamiento. De hecho, no existe aún cura ni tratamiento efectivo. Sé que es desalentador, pero es la realidad. La única recomendación posible para las personas cercanas a un enfermo con este problema es alejarse. Se trata de sujetos peligrosos que tarde o temprano terminan en la cárcel o en la morgue.

La palabra "loco" dejó de utilizarse en psiquiatría desde hace muchos años; hoy en día existe un nombre para cada padecimiento. Sin embargo, en el ámbito popular se sigue llamando locos a quienes son internados por padecimientos psiquiátricos. Existe también la creencia de que estas personas por lo general actúan de manera descabellada, son tontos y son diferentes a los demás. En el caso de la personalidad psicopática, el individuo puede ser muy inteligente, lucir normal y proceder, aparentemente, como cualquier otro. Es importante resaltar que el centro del problema radica en la falta de capacidad afectiva.

Los principales síntomas de este padecimiento son:

a) Inmadurez de la personalidad

b) Funciones intelectuales normales

c) Ausencia de ética y principios morales

d) Conducta sistemática antisocial y parasocial

e) Narcisismo elevado

f) Incapacidad para asimilar experiencias

g) Falta de respeto a los demás y vida parásita

h) Falta de sentido de responsabilidad

i) Vagancia e incapacidad para realizar un esfuerzo sostenido

j) Tendencia a la satisfacción inmediata de apetencias y caprichos

k) Poco o ningún sentimiento de culpa o remordimiento

l) Incapacidad para experimentar afectos profundos o duraderos

m) Mitomanía y presunción

n) Pensamiento delictivo

Como se advierte, muchos de estos síntomas no son fáciles de detectar más que por aquellos que conviven cotidianamente con estas personas. La personalidad psicopática es la que muestra la inmadurez de la personalidad en su mayor pureza. Su única forma de vida es la vagancia y la satisfacción de apetitos de placer inmediato, deseos permanentes, insaciables, para los cuales no cuenta limitación alguna. Su vida es parasocial y son anormales, impulsivos, prostitutas, estafadores, vagabundos, criminales, aventureros y dominadores "natos". Son individuos potencialmente peligrosos y predispuestos al delito. No adquieren vinculación afectiva con nadie, ni aun con sus familiares más cercanos, ante quienes consideran que no tienen compromisos, responsabilidades o deberes que cumplir. Las demás personas son meros objetos en calidad de satisfactores, de quienes se sirven invariable y exclusivamente para la complacencia de su propio afán.

El psicopático muestra niveles intelectuales normales. Su limitación no es intelectual sino afectiva y por esto no puede incorporar a su sentir el conocimiento; le falta resonancia anímica, particularmente para los principios morales. Su respuesta a los estímulos es exagerada y maneja muy bien, en el ámbito intelectual, la información que adquiere. No conoce el sentimiento de afecto, pero lo actúa si le conviene. Tiene una incapacidad total para adaptar su comportamiento a las normas culturales del grupo y representa un problema social. El trabajo es un suceso ocasional, transitorio; se abandona por cualquier motivo o está totalmente ausente en la trayectoria existencial. Muestra incapacidad para el trabajo sostenido y para conseguir dinero; busca un medio fácil para obtenerlo rápido y abundantemente; estos deseos pueden hacerlo caer en la tentación que le tiende el hampa: tráfico de drogas, fraudes y otras actividades ilícitas. El delito se lleva a cabo de manera impulsiva y no premeditada, aunque tratará de evitar los hechos que lo lleven ante la justicia. Las parrandas prolongadas, la conquista de mujeres fáciles, el disfrute de la buena alimentación, de los viajes de descanso y, en general, la búsqueda del placer dominan su vida y sus afanes.

Los psicopáticos presentan una conducta sistemática antisocial o parasocial. Para el enfermo, la vida fácil y placentera constituye lo más deseable y lo mejor. Tiene un alto grado de narcisismo y se comporta con orgullo cuando relata su habilidad para engañar, conducta que también es operante para evitar la sanción penal. La falta de ocupación, de obligaciones y de responsabilidades, por una parte, y la entrega a la diversión, por otra, no producen una problemática interna. Éstas son sus preferencias y sus intereses; no conciben, ni tienen la capacidad para hacerlo, un comportamiento distinto. De aquí proviene su imposibilidad para incorporarse a las normas sociales.

No tienen capacidad para regirse por normas morales. La falta de ética es un elemento central en la caracterología clínica. Advierten con claridad el sentido de lo bueno y lo malo, lo debido y lo indebido, lo responsable y lo irresponsable, pero no son vivencias que tengan peso alguno en su afectividad, por lo que se conducen prescindiendo de todo ello. Muestran falta de respeto en su relación con los demás, tienen una actitud de explotación y vida parásita, sin que esto implique trascendencia moral alguna y sin que acudan motivaciones más importantes, tal y como si estuviesen desprovistos de toda esencia humana. Si acatan alguna ley o regla es sólo por la conveniencia de no ser castigados, por lo que comúnmente violan las leyes y reglas morales cuando creen que nadie los ve. Presentan incapacidad para asimilar experiencias que orienten su trayectoria vital. Hay una perturbación en el tiempo que hace que no aprendan de las experiencias pasadas malas o buenas. No asimilan lo positivo ni aprenden de errores ni castigos. Se conducen con una experiencia análoga a la de un niño. Lo mismo les ocurre con el futuro: son incapaces de previsión para un tiempo que no sea inmediato. Esta conducta es la expresión de un trastorno biológico. Es muy difícil de diagnosticar en la infancia, sin embargo, conforme avanza la edad estos rasgos van en aumento y es probable que en la adolescencia tengan problemas con la autoridad.

Siempre presentan una tendencia a la satisfacción inmediata de sus apetitos o caprichos. La conducta impulsiva es otro aspecto de la perturbación en la vivencia del tiempo. Cualquier deseo o estímulo desencadena una conducta inmediata, sin reparar en posibilidades o medios. Este rasgo de inmadurez también es semejante al de un niño. En el caso del psicopático se trata de una impulsión que emerge imperiosamente, sin ninguna vacilación ni ambivalencia. Tienen muy poco o nulo sentimiento de culpa. Su vida parasocial, su conducta impulsiva y sus actos crueles o injustos los consideran altamente justificados y siempre adjudican la responsabilidad a aquellos que, según ellos, los provocaron. No tienen sentimientos de culpa ni arrepentimiento. Su conducta es violenta y agresiva.

Son incapaces de sentir amores profundos o duraderos y de vincularse afectivamente; ésta es característica esencial en todas sus relaciones. No viven el amor, la pasión, la amistad o algún sentimiento que sea duradero. El amor es exclusivo para sí mismos con el narcisismo más refinado. Todos sus sentimientos hacia otros son superficiales y transitorios y nunca los motiva la lealtad hacia nadie. Pueden llegar a formar una familia en un plan estrictamente formal, y sólo en tanto se mantenga la conveniencia o satisfacción de sus propios intereses, únicos que toman en cuenta. Cualquier relación de aparente amistad que entablan es por conveniencia propia. Pueden traicionar a la gente más cercana por satisfacer algún interés propio.

La mitomanía se caracteriza no sólo por el constante uso de la mentira sino también porque el individuo cree sus propias mentiras. Las mentiras crónicas son un recurso indispensable para la personalidad del psicopático. La importancia exagerada que se dan a sí mismos produce relatos en los que falsifican intencionalmente la realidad. Su biografía se caracteriza por el énfasis que dan a sus iniciativas personales en aventuras y situaciones difíciles y peligrosas, para las que en todo momento su habilidad, decisión y valor son un alto mérito. Ellos mismos creen los cuentos que se han imaginado, combinando la falsificación de la memoria con la fantasía.

Los psicopáticos no son producto de su circunstancia, por lo que la psicoterapia no ha tenido efectos favorables en su tratamiento. Tampoco se han encontrado medicamentos que funcionen. Por razones que desconocemos, la peligrosidad de estos enfermos comienza a disminuir después de los 35 años, si es que logran sobrevivir a esa edad.

Testimonio de una mujer de 30 años

Crecí en una familia de cuatro hermanos: dos mujeres y dos hombres. Soy la segunda y me sigue mi hermano Carlitos, a quien le pusieron el nombre de mi papá por ser el primer hombre.

Desde niño, Carlitos tenía un carácter diferente, hacía muchos berrinches y tenía problemas en la escuela, tanto de conducta como de disciplina. Siempre acababa peleándose con los amiguitos, no le duraban y contaba muchas mentiras; siempre decía que los otros le habían hecho maldades, le habían pegado, robado, insultado u otras ofensas; total, que siempre tenía la razón. Lo peor es que mis papás le creían casi todo y los demás pensábamos que era así porque estaba muy consentido.

Mi hermana y yo dejamos de quererlo pronto. Era insoportable, teníamos que aguantar sus arranques de mal humor con gritos, patadas e insultos y nos robaba cualquier cosa que le gustara. Nos arruinaba todas las vacaciones; cuando estábamos todos en el carro listos para ir a la playa había que esperar una hora o más porque el niño estaba haciendo su berrinchito de que siempre no quería ir y mi papá ahí estaba tratando de convencerlo, lo cual sólo lograba después de cumplirle algún capricho o darle dinero.

Fue creciendo y las cosas no cambiaron. En vez de madurar se fue volviendo peor. Pasó por nueve escuelas diferentes siempre expulsado debido a su conducta violenta. Como no le duraba ninguna amistad lo teníamos que soportar metido en la casa porque nadie lo invitaba. Jamás hacía algo por los demás, pero siempre exigía que se le atendieran sus caprichos inmediatamente. Mi papá no quería darse cuenta de nada, a pesar de que él nunca se le acercaba para otra cosa que no fuera pedirle dinero o permisos. Le sacaba dinero con las mentiras más ingeniosas, como que se iba a inscribir en clase de tenis o de inglés. Muchas veces se registró en escuelas de idiomas, deportes, gimnasios, computación, música, pintura y otras cosas, pero jamás asistió más de tres veces a ninguna de ellas.

A sus diecisiete años seguía siendo igual y continuaban sus arranques violentos, pero ya nos daba miedo. Tenemos dos perritos que adoramos y un día los agarró a patadas; después estuvo torturando a los canarios con una vara. Mi hermano el más chico ha tenido que soportar su crueldad demasiado tiempo y también lo odia.

Empezó a manejar y mi papá le compró un carro, a pesar de que ni la secundaria había podido terminar. Muy pronto tuvieron que rescatarlo, pagando una fortuna, porque cuando lo detuvo un motociclista por andar tomado, Carlitos lo insultó y, a patadas, le tiró la motocicleta. Lo que lo salvó fue ser menor de edad. En una ocasión, apareció un arma en su mochila, pero dijo que alguien se la había puesto y le creyeron.

Las conversaciones a la hora de la cena siempre eran iguales. Todos los días a Carlitos le había ocurrido algo espectacular y desagradable. Algún imbécil o una vieja idiota le había hecho algo, o había presenciado una balacera o un atropellamiento. Llegaba a decir que lo habían asaltado y lo habían golpeado aunque nunca le vimos ni un moretón.

No podíamos quejarnos porque mi papá decía que nosotros lo tratábamos mal; él le creía todas sus mentiras y nos acusaba a diario, las hermanas éramos las brujas. Así que tratando de llevar la fiesta en paz hacíamos todo por no provocarle. No lo contradecíamos, hacíamos cara de que le creíamos sus mentiras y nos aguantábamos y reprimíamos el coraje que nos daba por su falta de consideración para los demás, incluyendo que nos robara.

Todas las sirvientas que tuvimos se fueron porque Carlitos las trataba mal, les exigía que lo atendieran todo el día, que le sirvieran su desayuno a las once porque siempre estaba de vago, o que le plancharan algún pantalón. Les gritaba y las ofendía hasta que se iban; por supuesto que todas eran rateras y malagradecidas según mis papás. Yo no sé si ocurrió algo, pero una noche yo lo vi salir del cuarto de la sirvienta y al día siguiente ella desapareció.

Cuando cumplí 19 años, mi hermana y yo conocimos a un psiquiatra en la boda de una amiga. Entre broma y broma le dijimos que lo íbamos a ir a ver porque las dos estábamos volviéndonos locas. Pero él no lo tomó en broma y nos estuvo preguntando qué pasaba. Después de escuchar nuestras historias de lo feo, en las que el protagonista siempre era Carlitos, nos ofreció recibirnos en su consultorio sin cobrar para hablar seriamente con nosotras.

Fuimos al día siguiente creyendo que sí nos había percibido necesitadas de ayuda o alguna terapia, pero lo que nos dijo fue una sorpresa. Nos dio una cátedra muy completa del padecimiento de mi hermano y la más seria recomendación de alejarnos de él porque era un individuo peligroso. Con mucho trabajo, entendimos que la cosa era seria, que nosotras no podíamos hacer nada por nuestros papás y nuestro hermano menor, por el momento.

Las dos conseguimos trabajos de medio tiempo porque ya estábamos en la universidad, gracias a Dios en la UNAM, que no requiere el dineral en colegiaturas como en otras universidades, y nos fuimos a un departamentito cerca de la universidad.

La salida de la casa fue horrible. Mis papás reaccionaron muy mal y no entendieron, o no quisieron entender, nuestros motivos. Les dimos una fotocopia de la descripción de la enfermedad de mi hermano y mi papá la rompió poniéndose furioso. No la leyó. A gritos empezó a alegar que Carlitos era muy inteligente, que no era retrasado mental y que nosotras estábamos atentando contra su prestigio. Hasta nos amenazó para que no anduviéramos por ahí diciendo a los conocidos que nuestro hermano estaba loco.

A mi hermano chico le ofrecimos nuestra ayuda cuando quisiera y lo invitamos a vivir con nosotras si conseguía el permiso o, si no, cuando cumpliera 18. Antes de eso ya estaba viviendo con nosotras. Nos llevamos a los animales, a ésos sí los pudimos rescatar porque eran nuestros.

La comunicación con mis papás se cortó y nunca volvimos a hablarnos. Nos enteramos de dos o tres ocasiones en que han rescatado a Carlitos porque lo ha detenido la policía, y que un día fue atendido en el hospital por una sobredosis de droga (imagino que con el cuento de que se la pusieron en la bebida). También sabemos que sigue sin amigos y amigas y que se le conoce como el más sangrón y presumido de la colonia; todo mundo le saca la vuelta.

No supimos cuántas veces tuvo problemas con la justicia, pero la última vez asesinó a un tipo. Lo molió a golpes en un establecimiento que tenía cámaras de televisión. No supimos ni quisimos conocer los detalles, fue suficiente con saber que había demasiadas pruebas como para que se quede muchos años encerrado sin que los abogados de mi papá puedan hacer algo.

Antes sentía lástima por mis papás porque trataron realmente de formar una familia unida, pero ahora no siento nada. Sé que no fue su culpa que mi hermano estuviera enfermo, pero nosotros también éramos sus hijos y nunca se pusieron de nuestro lado. Ninguno de nosotros tres los buscamos ni ellos a nosotros. Nos hemos casado y sólo le pedimos a Dios que no nos dé un hijo así.

VI. Responsabilidad
de los medios de comunicación

Somos el resultado de propaganda repetida,
y nosotros continuamos repitiéndola.
J. KRISHNAMURTI

Todo lo que vemos, oímos y leemos en los medios de comunicación influye en lo que pensamos, decimos y hacemos. Los medios de comunicación tienen la capacidad de modelar normas y conductas específicas entre los miembros de un grupo objetivo, por ejemplo, las parejas que viven en violencia podrían aprender a negociar para resolver sus conflictos. Asimismo, la comunicación invita a la acción, informa a mujeres y hombres dónde buscar orientación, dónde relacionarse con grupos de autoayuda o dónde llamar en caso de emergencia.

Los medios de comunicación, principalmente la televisión y el cine, ofrecen modelos de un comportamiento violento justificado, esto reduce las inhibiciones para ejercer la violencia y, en muchos casos, la fomenta, ya que el niño la aprende y la imita. Diferentes estudios demuestran que el aumento de historias televisadas en que la violencia es premiada, ha coincidido con el incremento de agresividad en los niños. En Estados Unidos, donde los niños reciben un bombardeo constante de violencia a través de la televisión, pueden verse claramente los

179

síntomas del grave daño que dicha influencia causa. Los niños de ese país no sólo perciben escenas de violencia justificada en películas o programas de televisión, también están expuestos a hechos reales, como ver al presidente de su propio país declarando con pasión la guerra contra otros países. Después se extrañan y horrorizan cuando surgen niños y jóvenes que asesinan a sus compañeros de escuela a sangre fría. Estos hechos son la señal de una sociedad enferma, y desgraciadamente nosotros no estamos lejos. La televisión en México ha ido adoptando los patrones de Estados Unidos, importando el material televisivo violento y copiando las estrategias de manipulación.

La televisión es, para gran número de menores, una segunda escuela. Varias horas al día el niño se ve expuesto a grandes dosis de violencia, combinada con el bombardeo de la publicidad que le enseña principalmente que "necesita tener", esto intensifica el sentido de carencia y distribución desigual de los ingresos.

Los medios de comunicación exponen a los hombres como seres más fuertes, más competentes y más despiertos que las mujeres que, con frecuencia, se muestran como demasiado emocionales, sentimentales, indecisas, de pensamiento disperso, pasivas y manipuladoras, incluso malévolas. Tales estereotipos contribuyen a formar la capacidad que pueda tener una joven de verse como una persona fuerte y valiosa. La sociedad ha respaldado tradicionalmente la idea de que las niñas son inferiores a los niños; que carecen de capacidad para cuidarse por sí solas, y que las mujeres necesitan que los hombres velen por ellas.

Nadie parece estar pendiente de los mensajes que los niños reciben constantemente. Un ejemplo muy claro lo atestiguamos durante el campeonato mundial de futbol. Muchos padres opinarán que es bueno que los niños vean los programas deportivos porque el deporte es sano y un buen ejemplo. Sin embargo, pocos se percataron de la manera como se estuvo fomentando el uso del alcohol. Los personajes cómicos que han integrado a estos programas, para que no sean tan aburridos, llaman la atención de los niños porque los hacen reír, pero cuando los triunfos de la selección mexicana estos personajes aparecieron borrachos por la celebración. Como se les acabó la creatividad del buen humor recurrieron también una y otra vez al albur, la obscenidad y las bromas machistas que denigran el cuerpo de la mujer. Ése es el modelo que los niños aprenden porque atrapa su atención.

El ideal de la "libertad de expresión" es que se puedan exponer la verdad y diferentes opiniones, pero en vez de hacerlo, se ha usado como pretexto para transmitir todo aquello que tenga *raiting*, y si lo que tiene *raiting* es la violencia y la perversidad, pues eso es lo que se enseña a una sociedad enferma a la que hay que enfermar aún más.

Pero si bien los medios de comunicación tienen responsabilidad, no son los culpables de la violencia. Ésta nace en los hogares y los medios cultivan la plantita. Además, es responsabilidad de los padres de familia enseñar a sus hijos a tener un punto de vista crítico ante lo que se trasmite en la televisión. Gran parte del problema es que, como la televisión entretiene a los niños, se les permite ser hipnotizados para que no den lata. Pero los niños no son tontos y esto se comprobó hace algunos años en un programa que se llevó a cabo en el Colegio Madrid. Con unos cuantos ejercicios, presentados en forma de juego, se invitó a los niños a descubrir lo falso y las intenciones detrás de ciertos comerciales y programas de televisión. La reacción fue inmediata, la atención de los niños dio un giro de 180 grados y se comprobó que podían ser muy críticos y darse cuenta de toda la manipulación con un estímulo sencillo. Pero es raro el padre o la madre que se sienta con su hijo frente al televisor y lo invita a cuestionar el contenido de la transmisión.

La radio en México es tal vez el medio que más se ha ocupado en transmitir programas con contenido social. A diferencia de otros medios, la radio nos proporciona la ventaja de la retroalimentación inmediata, ya que la audiencia está en contacto constante con los conductores. Aunque pocos trabajamos en este tipo de programas, no dejamos de asombrarnos ante la respuesta del público gracias a las llamadas telefónicas que recibimos a diario y que nos van dando la pauta para elegir los temas a tratar.

Los miles de testimonios que por años hemos recibido presentan una constante: la violencia doméstica y su propagación irracional. Cuando iniciamos un tema dirigido a la sexualidad, inmediatamente comienzan a entrar llamadas de víctimas de abuso sexual o violación; si tratamos el tema del abuso del alcohol recibimos testimonios de golpizas y formas de violencia inimaginables. Las llamadas vienen de todos los estratos socioeconómicos y culturales, recordándonos diariamente que la violencia doméstica es pan de todos los días en miles de hogares mexicanos.

No importa cuántos años llevemos trasmitiendo el programa día con día, no es posible acostumbrarse y siempre aparece una nueva forma de tortura o brutalidad. El público no ve nuestras caras, pero con frecuencia los conductores lloramos en la cabina de rabia e impotencia ante los testimonios de mujeres, niños y hombres que parecen vivir cotidianamente una película de terror. Y nosotros sólo podemos informar, no solucionar los problemas individuales. Lo que pretendemos es hacer conciencia, invitar a nuestros radioescuchas a dar los pasos necesarios para su recuperación, empezando por salir de la ignorancia.

No sabemos quién nos está escuchando, o si alguien nos sintoniza por primera vez, lo que sí sabemos es que en cada programa alguien está reaccionando, que las llamadas al programa nos hablan de los problemas, inquietudes y drama en que viven inmersas las víctimas de la violencia.

Hay cada día más programas que tocan temas como la sexualidad, los derechos de la mujer y otros dirigidos a terminar con la ignorancia, pero se necesitan más. Actualmente, el deber de la radio se enfrenta a una lucha. No quisiera ponerlo en blanco y negro porque hay matices, pero también existe una polarización que no se debe soslayar: la imposición de la moral personal de muchos funcionarios públicos y grupos de poder que adoptan actitudes mesiánicas cerradas al diálogo, a la confrontación de ideas y a la conciliación. Del otro lado encontramos las Organizaciones No Gubernamentales (ONG) emergidas de necesidades reales y que ofrecen respuestas y opciones, y en las que también hay sus garbanzos de a libra en lo que se refiere a no conciliar y negociar.

La radio tiene la obligación de difundir ideas, conceptos y elementos de juicio para beneficiar a quien la escucha, para que cada persona se interese por el tema, encuentre la oportunidad de la información y la educación relativas a la violencia en el ámbito de su hogar, su persona, sus relaciones humanas y en la sociedad, dejando a un lado las imposiciones perversas.

La comunicación puede hacer mucho para contribuir a posicionar a la violencia doméstica como un problema social y de salud que merece la atención de líderes políticos y autoridades. Puede ayudar a que aquellos que viven en violencia, salgan de la ignorancia y sepan qué hacer. La población necesita saber que tiene derechos, que existen centros de ayuda y que cada hombre o mujer, de la edad que sea, no está solo.

Las instituciones y organismos especializados en violencia doméstica deberían trabajar en colaboración con los medios de comunicación para diseñar una estrategia coherente, revisando la solidez de contenidos y su continuidad. Los mensajes se aprenden y cualquier cosa aprendida se puede desaprender.

La responsabilidad de los medios es lograr que nuestra sociedad, en cualquier parte del país, se ubique en procesos de avance a través del encuentro de ideas, la corresponsabilidad social y la acción.

VII. México, la tradición
y las leyes

En un estudio realizado en 1999 por el Banco Interamericano de Desarrollo sobre la violencia doméstica en Latinoamérica, se encontró que la tercera causa de muerte de la mujer en México es la violencia que se ejerce contra ella.

Encuestas realizadas en nuestro país muestran que 57 por ciento de mujeres en zonas urbanas y 44 por ciento en zonas rurales han sido víctimas de algún tipo de violencia doméstica. El Centro de Atención de Violencia Familiar (CAVI) inició su funcionamiento en la ciudad de México en 1990. Recibe al año más de 20 mil solicitudes de ayuda, ya sea de asesoría legal, apoyo psicológico o trabajo social. El 85 por ciento de estas solicitudes proviene de mujeres. En las Unidades de Atención a la Violencia Familiar que el gobierno de la ciudad de México ha ubicado en diferentes zonas se reciben aun más solicitudes, la mayoría de mujeres víctimas de su marido. En lo que se refiere a menores, no existen datos precisos por la imposibilidad que éstos tienen de denunciar; sólo en centros de salud se registra un promedio de 13 mil casos al año y más de la mitad ha terminado con la muerte del menor.

Si bien es verdad que la violencia doméstica existe en todos los países del mundo, esto no es excusa para no detenerla. En los países sajones las familias conviven menos que en los latinos, por lo que la comunicación entre familiares es escasa. Las familias latinas, que suelen ser más unidas, tienen más oportunidad de detener la violencia cuando se toma conciencia del problema en su interior. (Ver tabla 1 en las páginas 178 y 179.)

El costo económico que representa la violencia doméstica es difícil de calcular; sin embargo, sabemos que gran parte del costo en las alas de urgencias de las clínicas de salud se va en atención a víctimas de violencia doméstica. Genera también grandes pérdidas en el rendimiento laboral porque aumenta el ausentismo. Esto sin contar el enorme costo que representa individualmente a cada familia. (Ver tabla 2 en la página 180.)

Es difícil determinar la cifra exacta de mujeres víctimas de violencia en sus hogares porque sabemos que un gran número jamás lo denuncia. En muchas ocasiones es hasta que llega a la morgue cuando alguien se entera de que una mujer estaba siendo golpeada de manera brutal. En otras, sólo se sabe que se suicidó y no siempre queda claro cuál fue el motivo, excepto en los casos en que las cicatrices dan muestra de una violencia prolongada. (Ver gráficas 1 y 2 en las páginas 181 y 182.)

En nuestro país existe un orden social que tolera la subordinación de las mujeres y el uso de la violencia en su contra. Entre broma y broma nuestra cultura ha condecorado de "hombre" a quien de vez en cuando le recuerda a su vieja quién es quién a través de una golpiza. La desigualdad de género ha existido en los ámbitos político, económico, social, religioso y familiar. Es un fenómeno promovido por claros intereses de mantener y perpetuar esquemas de dominación.

El mito de la madre mexicana

En pocos países como en México se ha exaltado el famoso *Día de las Madres*. Los mexicanos han consagrado este día a enaltecer a quienes les dieron la vida; a las mujeres que han cumplido su santa misión con sacrificios y dolores, abnegación y ternura durante todos los días del año.

Desde que en 1922 el diario *Excélsior* propuso la instauración de este día sublime, muchos han sido los beneficiados. La idea fue inmediatamente aplaudida y secundada por Iglesia Católica, el gobierno federal y, especialmente, los comerciantes, a quienes les brillaron los ojos y lanzaron inmediatamente sus anuncios llenos de ternura y chantaje emocional. A los tres grupos les convenía y mucho que se cantaran alabanzas para que la mujer mexicana continuara crucificándose en el ingrato trabajo del hogar. Desde aquel entonces se les procuran regalos como enseres domésticos que llevan implícito el mensaje: "Para que continúes trabajando".

Esta fabricación repentina del Día de las Madres fue oportuna porque en esos tiempos ya empezaban a brotar voces inquietantes a favor del control de la natalidad. Con esta campaña, esas ideas parecieron borrarse y nadie se atrevió a atacar la más alta función de la mujer: procrear. Las sacrificadas y sumisas madres también aprobaron la idea, ya que si ellas se inmolaban los 365 días del año justo era que se les dedicara un día.

Prevalencia de la violencia doméstica contra la mujer en América

País/Autor del estudio	Tipo de muestra	Muestra	Resultados
Chile Larraín Heiremans, 1944	Muestra repre- sentativa de Santiago	1,000 mujeres de 22 a 55 años en pareja desde hacía dos años	33.9% psicológica 10.7% física (violencia severa 15.5% física (menos severa)
Colombia (1990)	Muestra aleatoria nacional	3,272 mujeres urbanas 2,118 mujeres	33.9% psicológica 20% física 10% sexual
Costa Rica Quirós y Barrantes, 1994	Muestra representa- tiva de la zona metro- politana de San José	1,312 mujeres	75% psicológica, 10% física, 6% encerradas en su casa
Ecuador (1992)	Muestra intencional de un barrio de Quito	200 mujeres de bajos ingresos	60% física

Guatemala (1990)	Muestra aleatoria de Sacatepequez	1,000 mujeres	49% maltratadas, 74% por un compañero sexual
Haití CHREPROF, 1996*	Muestra representativa nacional	1,705 mujeres	70% maltratadas, 36% por un compañero sexual
Paraguay CEDEP, CDC, USAID, 1996	Muestra representativa nacional		9.4% física 31.1% psicológica
México Granados Shiroma, 1995	Muestra representativa de nueve distritos de Monterrey	1,086 mujeres	45.2% maltratadas 17.5% física y sexual 15.6% física y psicológica
Canadá (1993)	Muestra representativa	12,300 mujeres menores de 18 años	25% física
Estados Unidos (1986)	Probabilidad nacional	2,143 parejas	28% física

Fuente: Heise, Pitanguy y Germain (1994), salvo en los casos en que se indica otra fuente.
* Centro Haitiano de Estudios y Acción para la Promoción de la Mujer

Costos económicos de la violencia social en seis países de América Latina
(como porcentaje del PIB 1997)

Costos	Brasil	Colombia	El Salvador	México	Perú	Venezuela
Pérdidas de salud	1.9	5.0	4.3	1.3	1.5	0.3
Pérdidas materiales	3.6	8.4	5.1	4.9	2.0	9.0
Intangibles	3.4	6.9	11.5	3.3	1.0	2.2
Transferencias	1.6	4.4	4.0	2.8	0.6	0.3
Total	**10.5**	**24.7**	**24.9**	**12.3**	**5.1**	**11.8**

Fuente: Juan Luis Londoño (1996), *Epidemiología económica de la violencia urbana*

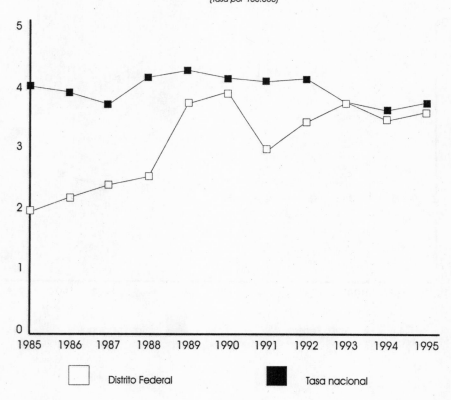

Mortalidad de mujeres por homicidio en México 1985-1995

(Tasa por 100.000)

Distrito Federal   Tasa nacional

Fuente: INEGI/SSA, cuadros de mortalidad, corregidos por FUNSALUD (1997).

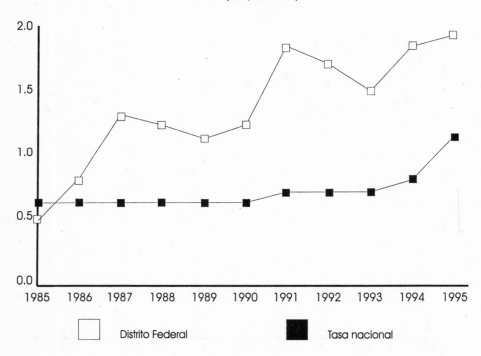

Mortalidad de mujeres por suicidio en México, 1985-1995

(Tasa por 100.000)

Distrito Federal   Tasa nacional

Fuente: INEGI/SSA, cuadros de mortalidad, corregidos por FUNSALUD (1997).

Todos los años *Excélsior* organizaba un festival para las madres, instituyó concursos escolares de dibujos y textos sobre episodios maternales. Durante años otorgó un premio a la madre más prolífica y, en 1959, inventó otro para las madres que habían dado "héroes" a la patria. En 1932, el mismo diario lanzó una iniciativa para que se levantara un monumento a la madre; tan grande había sido el éxito de la campaña que todos aplaudieron la idea y el templo se construyó. En 1947, el papa Pío XII envió a las madres mexicanas su bendición. El último festival de *Excélsior* se realizó en 1968.

Durante ese periodo el cine mexicano secundó esta imagen de la madre presentando el prototipo de la "madre ideal" en todos los niveles económicos y sociales. La Iglesia Católica, además de estar encantada con la campaña, aprovechó para abanderar a la Virgen de Guadalupe como madre de todos los mexicanos y santificar así el dolor de la madre.

El domingo 9 de mayo de 1972 un grupo llamado Mujeres de Acción Social ignoró una negativa de autoridades capitalinas y realizó una manifestación de protesta en contra del Día de las Madres con el objeto de hacer notar que: "El mito de la madre consiste en exaltar la función biológica de la mujer para encubrir el hecho de que como ser humano pensante y autónomo no se le deja desarrollarse. Se le permite, sí, ser el reflejo de la voluntad del hombre". Con escasos recursos elaboraron un folleto que repartieron iniciando un movimiento para hacer reaccionar a las estúpidas, sumisas y abnegadas madres mexicanas contra la campaña machista que las ha hundido.

somos madres

¿y qué mas?

Este folleto lo recibieron las mujeres y los hombres que asistieron al mitin del domingo 9 de mayo.

¿ CUAL ES EL PAPEL DE LA MADRE EN EL MUNDO ?

EL TIENE EL MUNDO EN SUS MANOS

Todavía no sabemos. De hecho son los hombres que han construído la sociedad y son ellos que la manejan; la mujer en esta sociedad esta marginada, relegada a la tarea de reproducción de la especie y los quehaceres domésticos y trabajo complementario. Es una ciudadana de segunda clase puesto que no se le considera como elemento productivo dentro de la economía. La niña, la mujer, la madre, somos muñecas de cuerda con disco atrás; funcionamos conforme a lo que está grabado en el disco, desde generaciones atrás.

¡ DEJEMOS DE SER MUÑECAS !

EL MUNDO LA TIENE EN SUS MANOS

TOMEMOS CONCIENCIA DE SERES HUMANOS CON VIDA PROPIA; ES NECESARIO PENSAR...ES NECESARIO BUSCAR...REFLEXIONAR...Y DISCUTIR CUAL ES NUESTRO PAPEL EN EL MUNDO.

TU PARTICIPACION ES IMPORTANTE.

JUNTAS NOS APOYAREMOS.

> "En el educación, en el matrimonio, en todo, a la mujer lo que le toca es la desilusión. Será el asunto de mi vida agudizar esta desilusión en el corazón de toda mujer hasta que ya no se agache más ante ello."
>
> Lucy Stone 1855.

M.A.S. 61-192
Apdo.
México   D.F.

¿ QUE ES EL MITO DE LA MADRE ?

El mito de la madre consiste en exaltar la
función biológica de la mujer para encubrir el
hecho de que como ser humano pensante y
autónomo no se le deja desarrollarse. Se le
permite, sí, ser el reflejo de la voluntad
del hombre.

¿ Y POR ESO PROTESTAN CONTRA EL DIA DE LA MADRE?

¡Claro! El 10 de Mayo es el símbolo máximo del
mito, de eso estamos conscientes y es necesario
denunciarlo. Cuando existe un día especial para
celebrar a alguien y se levanta monumentos, es
porque la sociedad le debe algo. A nosotras nos
parece que en lugar de dedicarles un día al año
y levantarles tan grande monumento, se haga
justicia a las madres y se les den sus derechos
como seres humanos, todos los días del año.

10 Mayo triste realidad

¿ PERO PORQUE CONTRA LA MADRE ?

DEBER de Sacrificio

No es contra la madre, sino contra el día de la
madre que protestamos.

¡ PERO LA MADRE SI MERECE UN TRATO ESPECIAL ! ELLA NOS DIO LA VIDA, SE SACRIFICA POR NOSOTROS, LE DEBEMOS SIEMPRE CARIÑO Y RESPETO.

DEBER de Amor

DEBER de Respeto

Sí, nos dió la vida, pero no vemos que por ese hecho
deba sacrificar sus ambiciones y desarrollo individual.
Casi siempre al renunciar a ellos impone a los hijos
una relación cargada de opresión y de culpa. El amor
se dá libremente, y no porque se deba pagar en deuda.
Pretender que los hijos deben quererla por que ella se
sacrifica, no es ni agradable ni espontáneo y por lo
tanto se convierte en una carga.

¿ PUEDE UNA MUJER SER MADRE Y PERSONA AUTONOMA ?

Es difícil, algunas lo logran, depende de varios factores: económicos, de educación, las oportunidades abiertas, la relación con el hombre, etc. En general las madres son dependientes, no sólo emocional sino económicamente también y muchas de ellas esperan de sus hijos admiración y respeto, se sienten con derecho a ello pues han renunciado a su vida personal, a su derecho a participar en la construcción de la sociedad.

¿ CREEN USTEDES QUE ES MUY IMPORTANTE LA INDEPENDENCIA ECONOMICA ?

Muy importante, ya que toda dependencia limita. Y si vivimos en una sociedad en la cùal el "prestigio y la autonomía" se logra con el dinero, una persona dependiente económicamente de otra, también lo es emocional y sicológicamente.

¿ ENTONCES CREEN QUE LA MUJER DEBE ENTRAR AL MUNDO DEL TRABAJO REMUNERADO ?

Sí pero no para realizar los mismos trabajos enajenantes que conocemos.

PERO LA MUJER POR SU CONSTITUCION FISICA Y POR SUS MISMAS FUNCIONES BIOLOGICAS NO ESTA HECHA PARA EL MUNDO DE TRABAJO, ES MAS DEBIL Y LA DEBEMOS DE PROTEGER.

¿ QUÉ HAGO YO SOLA ?

PROTECCION

En esta era de la mecanización la fuerza física ya no cuenta. Y las mujeres que por necesidad tienen que trabajar, no por ello han podido renunciar a las cansadas y tediosas labores del hogar. La debilidad física de la mujer es un mito más como el de la inferioridad intelectual, la inestabilidad emocional, etc. que han sido creados para mantener sumisa a la mujer. La mujer no necesita protección, ella misma puede y debe luchar para conseguir las condiciones necesarias para su desarrollo.

A partir de entonces, muchas mujeres y hombres han luchado por cambiar los resultados de esa manipulación perversa y, aunque algo se ha ido logrando, el enemigo se defiende bien, enemigo que continúa siendo el mismo.

La madre mexicana tradicional, en un afán de admiración, ha permanecido al lado de sus hijos en las buenas y en las malas. Como resultado de este contexto cultural, la propia mujer se da un lugar secundario frente al hombre. Esto ocurre con la mayoría de las mexicanas que, al casarse o irse con un hombre, siente que le entrega su vida y, por tanto, deja de existir. A partir de su entrega, lo único importante es "el otro", lo cual se traduce en una muerte en vida. La mujer que se niega a sí misma busca precisamente bajar su nivel de conciencia para disminuir, asimismo, su nivel de sufrimiento. Esta negación de sí misma es una verdadera enfermedad, porque lo que en realidad está buscando es anestesiarse tratando de evadir el sufrimiento.

En el campo mexicano hay lugares donde aún existe la creencia de que mientras más hijos se tengan habrá más brazos para trabajar y menos peones que pagar; se podrá producir más y tendrán más para subsistir y generar los famosos excedentes, mismos que serán la envidia de los demás y que darán motivos para la aplicación de más leyes anti-robo. Las leyes y las normas de la familia las dicta y ejerce el padre, quien ha de decidir qué función le corresponde a cada cual en la familia y el comportamiento de sus integrantes.

El hombre, dentro de su limitada soberbia, tiene la necesidad de controlar y ejercer poder, y cuando no lo consigue frente a los demás lo ha de ejecutar al interior de su célula autocrática: su propia familia. Este ejercicio del poder absoluto en la familia, al igual que en las comunidades, provoca disidencia y los primeros disidentes son los hijos adolescentes. No nos extrañe entonces que la violencia aumente en la sociedad.

Los castigos corporales se convirtieron en actos cotidianos que fortalecían al individuo y lo preparaban para la vida, según la opinión de muchos de nuestros abuelos. La obediencia a los mayores era indiscutible, aunque implicara realizar actos o adoptar conductas que iban en contra de la integridad personal. Los hijos, al crecer, podrían convertirse en los dueños del poder de su propia familia; las hijas en cambio, pasarían de obedecer a sus padres a obedecer a su marido y posteriormente a sus hijos hombres.

La cultura mexicana

Durante el siglo pasado el medio más difundido de la cultura en México han sido sus canciones, seguidas por el cine y la televisión. Las canciones reflejan el sentir del pueblo y éste las adopta de corazón. Uno de los mejores ejemplos es José Alfredo Jiménez, el favorito de los corazones rotos y los confesionarios del macho mexicano: las cantinas. Lo más admirable de las letras de sus canciones no son éstas en sí, sino la pasión con la que el pueblo mexicano las ha hecho suyas. Se han escuchado en todos los rincones del territorio nacional y, con lágrimas en los ojos, miles de borrachos las siguen cantando.

Parece haber entendido la mecánica de las relaciones destructivas. Sus canciones están llenas de autocompasión, sentimientos de infortunio e infelicidad. Así, encontramos la letra del misógino que se sabe poderoso:

Te vas porque yo quiero que te vayas,

a la hora que yo quiera te detengo,

yo sé que mi cariño te hace falta

y quieras o no, yo soy tu dueño.

Las del dependiente emocional que sabe que sufre, pero no tolera la idea de la separación:

La distancia entre los dos

es cada día más grande,

de tu amor y de mi amor

no está quedando nada;

sin embargo el corazón

no quiere resignarse

a escuchar el triste adiós

que sea tu retirada.

La del alcohólico:

Qué voy a hacer

si aunque cambie mi camino

yo ya sé que mi destino

es tomar y padecer.

La del devoto:

Te voy a dedicar una canción

a ver si me devuelves tu cariño;

ya vengo de rezar una oración

a ver si se compone mi destino.

Y la del masoquista:

Yo sabía que tu amor, a la larga,

sería mi desgracia;

yo sabía que tendría que llorar

y llorar mucho tiempo.

Porque amor que provoca desvelos

y mata de celos no puede acabar,

porque amor que se da sin medida

hasta con la vida se puede pagar.

El cine mexicano ha inundado las pantallas con escenas de madres sacrificadas, como la actuación de Libertad Lamarque en la cinta *La loca*, donde su papel de madre sufrida y abnegada arrancó las lágrimas de miles de espectadores, glorificando la humillación. Marga López representó varias veces el papel de la madre abnegada y Sara García se ganó el título de "Abuelita de México". El tema de la madre racista se ejemplificó en *Angelitos negros* y la madre asesina en *Los motivos de Luz*.

La industria de la telenovela ha explotado por años la imagen de la madre buena y santa que sufre en silencio, como en *La usurpadora*; o la madre valiente que lucha por recuperar a su hijo, sin dejar de lado a la madre villana, como el papel que hizo María Rubio en *Cuna de Lobos*.

La tradición y la cultura popular forman todo un complejo sistema de estructuras, procesos, relaciones e ideologías que sirven de marco a cada acto de violencia. Una estrategia para erradicar la violencia en el ámbito doméstico tendría que desarrollarse tomando en cuenta y corrigiendo todo el contexto sociocultural. Pero también existe la sabiduría popular y encontramos frases como: "¡Qué poca madre!". De alguna manera ha sido evidente que la ausencia de los cuidados maternos da como resultado hijos agresivos y cínicos.

Las leyes

Apenas el siglo pasado varios códigos penales en México y otros países de América Latina autorizaban a los padres a castigar corporalmente a sus hijos, siempre que no lo hicieran con excesiva frecuencia o innecesaria crueldad. Lo que no se aclaraba era cuándo un acto correctivo se convertía en excesiva crueldad; tampoco qué significaba frecuencia excesiva.

México ha suscrito convenios internacionales en los que se compromete a adoptar medidas contra la violencia que se ejerce dentro del núcleo familiar, siendo uno de sus ejes principales la prevención, atención y protección de mujeres, menores de edad y ancianos que son víctimas directas o presenciales y silenciosas de las agresiones domésticas.

En años recientes se ha hecho conciencia acerca de la necesidad de mejorar la legislación en materia civil, penal y administrativa tendiente a erradicar la violencia intrafamiliar y a atender y defender a las víctimas. México ha incorporado la violencia doméstica a la legislación, sin embargo, no es suficiente, todavía se carece de instrumentos legales apropiados y capaces para poder iniciar con posibilidades de éxito, acciones realmente significativas.

El Código Penal del Distrito Federal, en su artículo 343 bis señala:

Por violencia familiar se considera el uso de la fuerza física o moral, así como la omisión grave, que de manera reiterada se ejerce en contra de un miembro de la familia por otro integrante de la misma contra su integridad física, psíquica o ambas, independientemente de que pueda producir o no lesiones.

Comete el delito de violencia familiar el cónyuge, concubina o concubinario; pariente consanguíneo en línea recta ascendente o descendente sin limitación de grado, adoptante o adoptado, que habite en la misma casa de la víctima.

Por otro lado, no considera como maltrato emocional los:

[…] actos que tengan por objeto reprender o reconvenir a los menores de edad, siempre que éstos sean realizados por quienes participen en la formación y educación de los mismos, con el consentimiento de los padres del menor y se demuestre que están encaminados a su sano desarrollo [...] Todo acto que se compruebe que ha sido realizado con la intención de causar un daño moral a un menor de edad, será considerado maltrato emocional en los términos de este artículo, aunque se argumente como justificación la educación y formación del menor.

Puede advertirse que la ley es ambigua y se presta a una interpretación subjetiva para quien la aplica. No se aclara cómo se podría comprobar la "intencionalidad" del maltrato. Con la aparente intención de educar o disciplinar, los padres logran quebrantar la voluntad del familiar a través del maltrato con el objeto de estimular la obediencia y docilidad que les permitan mayor control y abuso de poder.

El maltrato físico se define, según la Norma Oficial Mexicana 190, como un acto de agresión que causa daño, cuyos indicadores son signos y síntomas –hematomas, laceraciones, equimosis, fracturas, quemaduras, luxaciones, lesiones musculares, traumatismos craneoencefálicos y trauma ocular, entre otros– congruentes o incongruentes con la génesis de los mismos, recientes o antiguos, con o sin evidencia clínica, o mediante auxiliares diagnósticos, en ausencia de patologías condicionantes.

Pero una cosa son las leyes y otra el ejercicio de las mismas, y es en este renglón donde nuestro país encuentra un retraso alarmante. La mayoría de las víctimas guarda silencio y las pocas personas que se atreven a denunciar muchas veces se topan con ineficacia o más agresiones por parte de las autoridades. Cientos de mujeres inician procesos por la vía civil, familiar o penal, pero los abandonan por falta de recursos económicos o por no poder acreditar lo que dicen ante las autoridades judiciales.

Si bien se han incrementado los servicios para las víctimas de violencia, tanto gubernamentales como privados, no son suficientes. Se cuenta con algunas oficinas especializadas para la denuncia de este tipo de delitos, pero en zonas urbanas en su mayoría. A pesar de que se han creado centros de atención a víctimas, son insuficientes, se saturan rápidamente y, por lo mismo, pierden eficacia. Pero tal vez la tarea más difícil es cambiar las mentalidades y actitudes, en especial en el campo de la impartición de justicia, en donde se necesita conscientizar a ministerios públicos y jueces.

Testimonio de un joven de 18 años

El 24 de mayo pasado, dos amigos y yo recogimos en un parque de la ciudad a un niño que dijo tener 12 años. Se encontraba en estado de suciedad extrema, con muchas marcas de golpes y hambriento.

Este niño explicó que llevaba una semana escapado de su casa. Su madre lo golpeaba fuertemente con un cable de luz y lo enviaba a limpiar parabrisas. Si no llegaba con 50 pesos recibía una golpiza, la última fue demasiado fuerte y huyó (su mamá estaba muy borracha).

Relató que su mamá sólo trabaja los domingos cuidando carros en la Plaza de Toros. Tiene dos hermanos mayores que se fueron hace tiempo de su casa y dos hermanas más chicas que también son golpeadas. Tuvo un padrastro que lo defendía, pero ya murió. Su abuela ha sido testigo de las golpizas y nunca hizo nada. Nunca ha asistido a la escuela y no sabe leer ni escribir.

Contó que hace un año ya había huido de su casa y fue enviado a un albergue de monjas llamado Hogar Providencia, pero éstas golpeaban a los niños y él prefirió volver a su casa.

Como era noche, se nos ocurrió llevarlo a las instalaciones del Ejército de Salvación, porque hemos visto que viven muchos niños ahí, el lugar es muy bonito y los chavos se ven contentos. El mayor de la casa, supongo que es el director, aceptó que el niño pasara la noche ahí, pero nos pidió que por la mañana lo lleváramos a la PGR. Explicó que en esas instalaciones (que funcionan como internado) sí tienen algunos niños permanentes, pero debían ser canalizados por las autoridades. Dijo que si esto sucedía, ellos podían albergarlo permanentemente. Al niño le agradó el lugar y quería quedarse.

A la mañana siguiente lo llevé a la agencia de la PGR más cercana y lo acompañé personalmente durante el interrogatorio y examen médico que se le practicó. En el interrogatorio (en el que lloró mucho) relató la misma historia, con la diferencia que dijo que llevaba un mes fuera de su casa (en vez de una semana) y dio dos apellidos diferentes, por lo cual fue regañado. Agregó que en una ocasión fue lastimado con una lámina. El médico que lo examinó dijo que efectivamente mostraba muchas cicatrices de golpes en todo el cuerpo. El médico lo trató muy bien.

Mientras se levantaba el acta, una mujer que trabaja ahí (no sé qué puesto ocupa) opinó que no lo iban a tratar como niño maltratado sino como "niño de la calle", que porque se veía muy "corrido". No sé en qué estriba la diferencia ni cuál es ese tratamiento a un "niño de la calle".

Otra persona le explicó que esperarían a que llegara el trabajador social (posiblemente dos horas más tarde) y le iban a hacer exámenes psicológicos para definir su situación y decidir el procedimiento a seguir, el cual podría consistir en regresarlo a su casa o enviarlo al albergue de la PGR.

Les comenté de la posibilidad de que vivera en el Ejército de Salvación y lo que el mayor había dicho, pero me contestaron que eso no era asunto de ellos. Me pidieron que me fuera y lo dejara ahí. Él se quedó llorando.

Al día siguiente lo volvimos a ver en el parque. Nos dijo, de lejos, que se escapó porque lo querían regresar a su casa. Ya no deja que nos acerquemos a él porque tiene miedo de que lo volvamos a llevar al mismo lugar. Lo vemos aterrado y ya no nos atrevemos a acudir a ninguna autoridad.

Nadie está en contra de los programas para ayuda y rehabilitación de los niños que viven en la calle, pero si no se toman medidas para frenar la violencia doméstica, miles de niños más huirán de sus hogares.

Nuestros gobiernos han restado importancia a los temas relacionados con la violencia familiar en todas sus manifestaciones. Es necesario implementar programas de apoyo social basados en un estudio y análisis sobre prioridades de atención en el que las acciones de carácter preventivo tendrán que ser las más importantes. Hacen falta campañas para la identificación, revelación y denuncia de la violencia y el abuso sexual, así como programas educativos e institucionales encaminados a la autoprotección.

La protección de los ancianos

El nuevo gobierno cambió el nombre de lo que antes fue el Instituto Nacional de la Senectud (Insen) por el de Instituto Nacional de Adultos en Plenitud (Inaplen). Parece ser que ya se dieron cuenta que no hay tal "plenitud" y ahora están cambiando "adultos en plenitud" por "adultos mayores". El Senado de la República aprobó el 25 de abril la nueva ley sobre los derechos de las personas adultas mayores que tiene por objeto garantizar el ejercicio de sus derechos, así como establecer las bases y disposiciones para su cumplimiento.

Esta ley tiene por objeto garantizar a las personas adultas mayores los siguientes derechos:

I. De la integridad, dignidad y preferencia:
   a. A una vida con calidad. Es obligación de las instituciones públicas, de la comunidad, de la familia y la sociedad, garantizarles el acceso a los programas que tengan por objeto posibilitar el ejercicio de este derecho.
   b. Al disfrute pleno, sin discriminación ni distinción alguna, de los derechos que ésta y otras leyes consagran.
   c. A una vida libre sin violencia.
   d. Al respeto a su integridad física, psicoemocional y sexual.
   e. A la protección contra toda forma de explotación.
   f. A recibir protección por parte de la comunidad, la familia y la sociedad, así como de las instituciones federales, estatales y municipales.

g. A vivir en entornos seguros, dignos y decorosos que cumplan con sus necesidades y requerimientos y en donde ejerzan libremente sus derechos.

También establece que toda persona, grupo social, organizaciones no gubernamentales, asociaciones o sociedades, podrán denunciar ante los órganos competentes todo hecho, acto u omisión que produzca o pueda producir daño o afectación a los derechos y garantías que establece la presente ley.

En su artículo 9º establece que la familia de la persona adulta mayor deberá cumplir su función social; por tanto, de manera constante y permanente deberá velar por cada una de las personas adultas mayores que formen parte de ella, siendo responsable de proporcionar los satisfactores necesarios para su atención y desarrollo integral, y tendrá las siguientes obligaciones para con ellos:

I. Otorgar alimentos de conformidad con lo establecido en el Código Civil.

II. Fomentar la convivencia familiar cotidiana, donde la persona adulta mayor participe activamente, y promover al mismo tiempo los valores que incidan en sus nenecesidades afectivas, de protección y de apoyo.

III. Evitar que alguno de sus integrantes cometa cualquier acto de discriminación, abuso, explotación, aislamiento, violencia y actos jurídicos que pongan en riesgo su persona, bienes y derechos.

Como puede verse, esta ley suena maravillosa, lo que los ancianos que la han leído se preguntan es dónde está la ventanilla a la que deben acudir para recibir todas esas cosas maravillo-sas que la ley les otorga, dónde está esa autoridad que va a obligar a sus familiares a proporcionarles una vida digna.

VIII. ¿Hay solución?

Somos la sociedad, somos el mundo,
y si no nos cambiamos a nosotros mismos
radicalmente, muy profundamente,
entonces no hay posibilidad alguna
de cambiar el orden social.
J. KRISHNAMURTI

Vivir en la violencia cotidiana no es vida, es una forma de existencia desgarrada que debe repararse. El primer obstáculo para solucionar el problema es la negación. No querer ver o aceptar no soluciona nada, sólo permite que la violencia aumente. Nadie puede hacer cambiar al individuo violento más que él mismo. Es su responsabilidad aceptar que tiene un problema y buscar ayuda para eliminar su propia violencia. Pero también es compromiso de la víctima, que se mantiene dependiendo de su agresor, tomar las riendas de su vida y romper el círculo de violencia familiar que se repite generación tras generación.

¿Qué puede hacer la víctima?

Como hemos visto, muchas víctimas se encuentran indefensas ante su agresor y requieren ayuda de la sociedad y de las instituciones. Estamos hablando, principalmente, de los niños, los ancianos y los discapacitados. Pero ¿qué ocurre con

211

todas aquellas víctimas de relaciones destructivas; personas que creen que no pueden escapar al círculo de violencia en el que se encuentran inmersas? Muchas viven esperando que su agresor cambie o se muera. Están convencidas de que la violencia sólo reside en el otro, pero no es así. Como lo hemos dicho muchas veces en el programa de radio, para que exista un misógino se necesita una tonta que se deje.

Si usted es víctima de la agresión cotidiana, está colaborando con esa violencia y, si bien el otro no hará nada por abandonar su papel de tirano, usted sí puede abandonar el papel de víctima, pedir ayuda y decidir tomar las riendas de su vida. La *no-colaboración* de la víctima fue la columna vertebral del movimiento que liberó a millones de personas de la más cruel segregación racial en Estados Unidos, apenas el siglo pasado. El gran líder Martin Luther King encabezó un movimiento masivo *no-violento* en el que la lucha no consistía en atacar al represor sino en no colaborar con él. Toda la gente de color percibía y padecía la injusticia, pero sólo él se dio cuenta de que ellos lo permitían. Para mover a las masas, en vez de recurrir a un grito de guerra, apeló a la conciencia del oprimido. Lo mismo que ocurría en el ámbito masivo en tiempos de la esclavitud y después en los de segregación racial en ese país, sucede a escala individual en cada relación destructiva. Las mismas palabras que el doctor King pronunció a sus hermanos oprimidos para que se liberaran se aplican a cada víctima de violencia. Si usted está en ese caso, le recomiendo que lea detenidamente los siguientes pensamientos del doctor King y reflexione si van dirigidos también a su persona.

Quien acepta el mal pasivamente está tan mezclado con él
como el que ayuda a perpetrarlo.
El que acepta el mal sin protestar colabora con él.
Cooperar pasivamente con un sistema injusto
hace al oprimido tan malvado como al opresor.
Nunca debes dejar que nadie te empuje tan abajo
que sea fácil odiar.
Sería cobarde e inmoral, a la vez,
que aceptace pacientemente la injusticia.
Cuando la gente oprimida acepta con gusto la opresión,
esto sólo sirve para darle al agresor
la justificación conveniente a sus acciones.
Con frecuencia el opresor sigue adelante
sin advertir ni reconocer el mal,
envuelto en su opresión,
tanto tiempo como la aceptan los oprimidos.

Y para todos aquellos que utilizan la "voluntad de Dios" como pretexto para su resignación:

¿Hemos de resignarnos y llegar a la conclusión
de que la segregación es voluntad de Dios a la opresión?
Claro que no, porque esto atribuye a Dios
de forma blasfema
aquello que pertenece al diablo.

El movimiento que inició el doctor King no sólo liberó a sus hermanos contemporáneos de la violencia de que eran objeto, también redimió a todas las generaciones futuras. Si usted decide terminar con la violencia familiar que se ejerce en su contra, se estará liberando a usted y a las generaciones que vienen. Si permite que continúe, es probable que los esté condenando a vivir en un infierno.

En el programa de radio hemos recibido una cantidad considerable de testimonios de víctimas de abuso sexual, pero pocos reflejan un estado de recuperación. El siguiente es el caso de una mujer valiente que se atrevió a denunciar los hechos y logró romper el ciclo de abuso sexual en su familia.

LLAMADA DE UNA MUJER AL PROGRAMA DE RADIO

De niña fui violada por mi papá. Hace algunos meses se suicidó una sobrina mía que vivía en su casa y dejó una carta contando que él le hacía cosas horribles. Y ahora le enseña revistas pornográficas a otra sobrina que vive con él.

Cuando éramos niñas, a mis hermanas y a mí nos enviaba a la tienda de raya a pedir prestado y el tendero nos enseñaba su miembro. Creo que mi madre estaba enterada y también sabía que mi papá abusaba sexualmente de sus ocho hijas.

Varias veces intenté suicidarme. A los 17 años estaba estudiando la preparatoria vespertina y llegaba a la casa hasta las 11 de la noche. Él me estaba esperando y me tocaba. Una noche me reclamó diciendo que yo usaba lo de la escuela como pretexto para andar de prostituta. Le contesté que eso es lo que él me había enseñado y salí a la calle. Llamé a una patrulla y fueron conmigo a la casa. Mi madre se puso a llorar y decía que eso me iba a afectar a mí porque todo mundo se enteraría. Además, alegó que no era cierto. Terminó dando dinero a los policías y se fueron.

Me fui a vivir unos meses con un compañero de la escuela, pero después volví por aquello de que la madre es el soporte que uno necesita. Finalmente, me fui a vivir con la familia de mi novio y al año me embaracé sin haberlo programado. Me encerré en mi hijo; me enconché; hice a mi esposo a un lado. Después supe que, debido a mi rechazo, él tuvo una amante en ese periodo. Siete años después tuvimos una hija porque él me lo pidió y fue hasta tres años más tarde cuando dejamos de vivir con su familia.

Me convertí en una madre golpeadora con mi hijo. Es retraído y presentaba problemas de atención, por lo que se agudizó mi ira contra él. También traté muy mal a mi esposo, al grado que llegué a aventarle cuchillos. Me volví agresiva con todos los hombres. Gracias al programa del CAVI pude cambiar. Después acudí al Instituto Mexicano de Psiquiatría y estoy bajo tratamiento por los ataques de ira que padecía, y una epilepsia en el lóbulo frontal que se me diagnosticó.

Por fortuna, conservé mi matrimonio y poco a poco hemos ido arreglando las cosas. Hoy mi hijo tiene 17 años y está mejor. Hablé con él hace tres años y le pedí perdón, le expliqué todo lo que me habían hecho y él ahora siente mucho coraje contra mis padres. Él me perdonó, pero yo aún no puedo perdonar a mis papás, siento un odio que no me deja vivir.

Romper el ciclo

La violencia doméstica suele transmitirse de generación en generación hasta que un miembro de la familia decide hacer algo para poner fin al ciclo. El niño golpeado crece con una inmensa ira reprimida que se ha ido acumulando como en una olla de presión. Es esta ira la que más tarde descargan contra sus propios hijos, repitiendo el ciclo de violencia una y otra vez.

Algunos niños maltratados, al alcanzar la edad adulta, son capaces de considerar los hechos y darse cuenta de que la conducta de sus padres fue excesiva; otros quedan atrapados entre la culpa y el resentimiento y no logran descifrar lo que sucedió, otros más repiten el patrón de conducta con sus propios hijos o su cónyuge.

Cuando se aborda el tema del "Síndrome del niño maltratado" se está hablando de un cuadro clínico causado por una patología mental familiar, que hace víctima al niño en la etapa de su vida en que se encuentra más indefenso, de la abstención de manera deliberada de proveer los satisfactores para sus necesidades físicas y emocionales, o de ser el receptor de una agresión reprimida por mucho tiempo.

Los padres y madres golpeadores no son capaces de controlar sus impulsos. La mayoría narra sus arranques como una fuerza que no puede detener; siente que la vista se le nubla y no está consciente de las consecuencias que sus actos pueden tener. Quienes alguna vez fueron golpeados suelen formular juicios incoherentes y expresan emociones contradictorias. Cuando se vuelven golpeadores no pueden soportar la culpa de haber lastimado a un niño y se justifican racionalizando lo que ocurrió, hasta que deciden que el niño es el culpable y el malo.

Tanto el padre o cónyuge violento, como la víctima de la violencia, están enfermos y necesitan ayuda, todos están inmersos en este círculo infernal y en sus manos está detenerlo. Si usted forma parte de una familia violenta –como agresor o como víctima– es muy probable que provenga de una familia disfuncional y tenga una cantidad grande de ira reprimida desde su infancia. Si en ésta fue víctima de abuso sexual, seguramente presenta síntomas con tendencia a culparse, depresión, comportamiento o pensamientos destructivos, problemas sexuales, intentos de suicidio o abuso de alcohol o drogas. Entonces, necesita una terapia que le ayude a desprenderse del pasado. Y cuando hablamos del pasado no hay que tomar en cuenta sólo los hechos traumáticos de la infancia, pues existen una serie de creencias arraigadas en nosotros que nos mantienen repitiendo el mismo patrón una y otra vez, por ejemplo, la afirmación de que "la ropa sucia se lava en casa" mantiene en el silencio a muchas víctimas de violencia; la aseveración de que las mujeres no son capaces de sobrevivir sin un hombre conserva a muchas mujeres atadas a una bestia. Somos conscientes de infinidad de dogmas que nos influyen, pero otros continúan actuando desde nuestro inconsciente como una fuerza poderosa que nos dirige el comportamiento. Sólo con una terapia adecuada pueden traerse a la luz esas creencias y ponerlas en tela de juicio. La idea de "no merecer" es una de la más fuertes y nos lleva a hacer que saboteemos cualquier éxito que se aproxime. Sin darnos cuenta seguimos obedeciendo a nuestros padres, aun cuando ya no estén vivos. Nuestras reacciones emocionales nos toman la delantera y se apoderan de nuestras acciones antes de que intervenga la razón.

La terapia, ya sea de grupo o individual, es importante para trabajar con las emociones. Cuando uno en vez de *responder* a una situación *reacciona*, es un enfermo emocional. Se es esclavo de las emociones y éstas dominan nuestra vida. No hay píldora para curar esta enfermedad, se requiere de una decisión firme para enfrentar el trabajo en una terapia, que puede ser larga. El enfermo emocional necesita estar dispuesto a tomar las riendas de su propia vida y esto nadie lo puede hacer por él. Tiene que aceptar la responsabilidad de todo lo que le ocurre porque mientras siga culpando a otros, continuará hundiéndose en su infierno emocional.

¿Es usted víctima de maltrato?

La persona que usted ama:

- ¿Lo persigue todo el tiempo?

- ¿Lo acusa constantemente de serle infiel y lo tortura con sus celos?

- ¿Se opone a sus relaciones con su familia y sus amistades?

- ¿Le prohíbe trabajar o asistir a la escuela?

- ¿Lo critica por cosas sin importancia?

- ¿Se pone iracunda fácilmente luego de beber, consumir drogas o cuando se le contradice?

- ¿Controla todas su finanzas y lo obliga a darle cuentas detalladas de lo que gasta?

- ¿Lo humilla delante de otras personas?

- ¿Destruye su propiedad personal u objetos de valor sentimental?

- ¿Le pega, golpea, abofetea, patea o muerde a usted o a los niños?

- ¿Utiliza o amenaza con usar un arma contra usted?

- ¿Amenaza con hacerle daño a usted o a los niños?

- ¿Lo obliga a tener sexo contra su propia voluntad?

Si su respuesta a las preguntas anteriores es "Sí", es hora de pedir ayuda. La solución está en sus manos, así que no ignore el problema; la negación es su peor enemigo y es lo que hace que la situación continúe. Tal vez usted abrigue la esperanza de que no se vuelva a repetir, que la última haya sido en verdad "la última", pero lo más probable es que no sea así, aun cuando haya recibido disculpas, regalos y promesas.

Parte del poder de quien la maltrata viene de estar protegido por el secreto, así que es mejor que hable con alguien cuanto antes. Puede ser que usted sienta vergüenza y no desee que nadie se entere de sus problemas íntimos familiares. Diríjase a un amigo, un familiar o un vecino; elija a alguien discreto que le aprecie, no a la típica chismosa que irá corriendo a difundir la noticia. Si no confía en nadie, llame a algún teléfono de auxilio doméstico o acuda al centro de salud en su localidad para hablar con un consejero.

Prevenga y planifique por adelantado, sepa lo que va a hacer en caso de recibir un nuevo ataque. Si decide irse, escoja el sitio a donde irá; tenga dinero guardado; reúna sus papeles importantes –acta de nacimiento, de matrimonio y chequera, entre otros– en un lugar donde pueda encontrarlos con rapidez.

Aprenda a pensar de manera independiente. Trate de hacer planes para el futuro y establezca metas personales. Si usted recibe agresiones físicas hay cosas que puede hacer para protegerse. Llame a la policía o a la PGR. La agresión, aun por miembros de la familia, es un crimen. Márchese de la casa o procure que alguien la acompañe y se quede con usted. Si cree que usted y sus hijos corren peligro, váyase inmediatamente. Muchas mujeres alegan que no pueden irse porque no tendrían cómo mantener a sus hijos, sin embargo, muchas otras han preferido pasar hambre que seguir recibiendo golpes, ellas o sus hijos.

Si ha sido golpeada acuda a la sala de emergencias de un hospital. Solicite al personal que tome fotografías de sus heridas y mantenga un récord detallado de pruebas, por si acaso decide tomar acción legal. La demanda legal no es un acto de venganza, es un derecho, un mecanismo considerado por la ley para su protección. Abandonar a su agresor le salvará del peligro inminente, pero no soluciona el problema. Usted necesita ayuda psicológica y sus hijos también. Al final de este capítulo encontrará una lista de algunos centros de ayuda, públicos y privados, a los que puede acudir.

En casos de violencia no es recomendable acudir a los consejeros conyugales, porque cuando una pareja vive una relación destructiva difícilmente la víctima va a narrar, frente a su agresor, la violencia usada en su contra. Sabe que se arriesga a intensificar la agresión, o puede provocar la ruptura conyugal, que es lo que más teme.

¿Ha lastimado usted a alguien de su familia?

*Nuestro trabajo es enderezar
nuestras propias vidas.*
JOSEPH CAMPBELL

Para saber si usted es violento basta con responder "Sí" a esta única pregunta. La respuesta es sí o no, sin intermedios como: "Bueno, sólo una vez". ¿Ha lastimado usted a alguien de su familia? Antes de responder, tome en cuenta que no estamos hablando sólo de lastimar físicamente, la pregunta incluye cualquier tipo de herida emocional o psicológica. Respóndase a usted mismo, verá que no existe tal cosa como "sólo una vez". Si su respuesta es sí, acepte el hecho de que su comportamiento violento acabará destruyendo a su familia. Deje de disculpar sus arranques violentos, la violencia jamás está justificada.

Si usted recurre a la violencia física, esté consciente de que cuando ataca a otra persona está violando la ley. Asuma la responsabilidad de sus acciones y obtenga ayuda; usted es una persona enferma y requiere tratamiento. Su enfermedad no se detiene con juramentos ni propósitos de Año Nuevo, sólo se interrumpe si recibe la ayuda adecuada. El hecho de que usted esté enfermo no justifica ningún acto violento, usted es completamente responsable. Cuando sienta que aumenta la tensión, váyase. Utilice la energía proveniente de su ira para caminar, trabajar en un proyecto o practicar algún deporte. Llame a una línea de ayuda para casos de violencia doméstica, o acuda a un centro de salud y averigüe sobre los servicios de consejeros y grupos de apoyo para las personas que maltratan a sus familiares.

Mientras no haga algo al respecto usted puede perder el empleo o su carrera profesional; puede quedar incapacitado debido a lesiones, o puede terminar en la cárcel por ofensas o asesinato. Reconozca que cuando tiene una arranque violento no es capaz de detenerse, por lo tanto no sabe hasta dónde puede llegar la próxima vez. El primer paso en la solución de su problema es la aceptación, y mientras más pronto mejor.

La manera más eficaz de detener la violencia es empezar por donde se genera. Es necesario dirigir la mirada hacia la propia familia y hacia uno mismo para ver y aceptar las distintas formas de violencia que ejercemos. Es probable que vivamos en una familia en la que no hay golpizas u objetos voladores y, sin embargo, se esté ejerciendo una violencia sutil constante. Puede ser que usted no se considere violento porque jamás ataca física o verbalmente a los demás, pero puede ser demasiado violento consigo mismo en su interior. Los deseos de venganza, resentimientos y odio reprimido son muy violentos y, aunque no se dé cuenta, lo dañan a usted y a sus seres queridos.

En 1993 se fundó en México la organización civil Colectivo de Hombres por Relaciones Igualitarias, A. C. (CORIAC), como una propuesta reeducativa y autocrítica de la masculinidad orientada a disminuir la violencia varonil. En esta organización participan hombres que reconocen ser violentos y hacen un esfuerzo admirable por solucionar su problema a través de grupos de autoayuda. Estos individuos han reconocido que:

[…] la violencia intrafamiliar es uno de los actos más destructivos y deshumanizantes de la sociedad, causa estragos en los individuos, familias e incluso en las naciones; desde ella se gestan, reproducen y potencian personalidades y relaciones de odio, abuso, intolerancia, desigualdad y autoritarismo.

Son escasos los hombres que admiten su propio ejercicio de abuso de poder y de violencia; son pocos los que reconocen que recurren a ella para recuperar su prestigio, control o dominio sobre otros. Se necesita ser muy hombre y muy maduro para alcanzar este grado de reconocimiento y aceptación, porque precisamente es *poco hombre* el que busca reafirmarse a través de la superioridad de otro. Este tipo de individuo siempre trata de ocultar al varón emocional que existe debajo de la máscara que presenta al mundo, y no se permite expresar lo que siente, –mucho menos llorar.

Los hombres que acuden al CORIAC han tenido que reconocer que son violentos y están dispuestos a aceptar la responsabilidad de lo que sus actos les provocan a ellos mismos, a sus familias y a la comunidad. El programa les apoya para que sean capaces de comprender de dónde viene su violencia y cuestionen el conjunto de creencias que han hecho suyas y que los llevan a actuar de manera violenta. Desdichadamente, pocos son los que acuden y los que saben que existe, pero esperamos que se le dé mayor difusión y alcance las dimensiones suficientes como para lograr un impacto benéfico en nuestro país.

Hasta antes de 1993 todos los esfuerzos para frenar la violencia doméstica los realizaban grupos de mujeres. Fueron ellas quienes, tras casi un siglo de lucha, lograron resultados como reformas en las leyes y la formación de centros de ayuda. La formación del CORIAC significa un paso importante hacia la solución de la violencia: los hombres violentos, aunque sólo sean unos cuantos, han empezado a reaccionar y a buscar una solución, una posibilidad de cambio con un proyecto y un propósito. La participación directa de hombres en la desarticulación de las agresiones representa el inicio de un verdadero compromiso con los anhelos de eliminar la violencia en nuestra sociedad.

Sabemos que muchos de los hombres que llegan al CORIAC acuden porque se encuentran en una situación de crisis, y no porque hayan decidido cambiar. Piden apoyo porque su vida está derrumbándose. También sabemos que pocos se quedan, no les gusta que alguien les diga que detrás de lo que creen que es su masculinidad sólo hay miedo, vulnerabilidad y vergüenza. Sin embargo, los que continúan con el programa han logrado frenar la violencia y cambiar la dinámica de sus relaciones. Hace falta que más hombres se integren a este esfuerzo, compartan su aprendizaje y se conviertan en modelos ejemplares, en verdaderos hombres.

Detener la violencia es un reto para los hombres que la ejercen; tienen que adquirir la habilidad para elegir cómo conducir sus vidas expresando su verdadero yo interno, sin tener que recurrir a ninguna demostración de supremacía ni al control externo sobre otras personas.

Existen otras alternativas para frenar la propia violencia. Una de ellas es la terapia de grupo, o la terapia individual, y tal vez lo más valioso de estas prácticas es que le ayudan a ver lo que parece estar oculto y requiere traerse a la luz para que haya un alivio. Hay otras alternativas como el perdón, considerado como un proceso liberador y que se plantea con claridad en libros como *La magia del perdón* de Roger Martínez Peniche.

Las personas adictas cuentan con uno de los mejores sistemas de recuperación en los grupos anónimos que manejan los doce pasos. Hay centros de atención en casi todo el país, públicos y privados, tanto para víctimas de maltrato como para personas violentas. Las alternativas existen, pero es esencial que uno acepte antes que tiene un problema, tanto si es agresor como si es víctima, y busque ayuda.

Centros de atención en México

En el Distrito Federal

Victimatel 56 25 72 12 / 56 25 71 19
Locatel 56 58 11 11
Sistema Nacional de Apoyo Psicológico por Teléfono (Saptel)
Cruz Roja Mexicana 53 95 11 11 / 53 95 06 60
Instituto Nacional de la Mujer 52 56 00 96 / 52 11 65 68
CETATEL (ayuda en crisis 24 horas) 55 75 54 61

Direcciones de Unidad de Atención a la Víctima Familiar (UAVIF)

Delegación Azcapotzalco 53 19 65 50
Delegación Benito Juárez 55 90 48 17 / 55 79 16 99
Delegación Cuajimalpa 58 12 25 21
Delegación Gustavo A. Madero 57 81 96 26
Delegación Iztacalco 56 54 44 98
Delegación Iztapalapa 59 89 01 92
Delegación Magdalena Contreras 56 81 27 34 / 56 52 19 86
Delegación Tlalpan 55 13 98 35
Delegación Venustiano Carranza 55 52 56 92
Delegación Xochimilco 56 75 82 70

*Módulo Ciudadano para la Orientación en Salud
y Derechos Sexuales y Reproductivos*
Red por la Salud de las Mujeres en el Distrito Federal
Programa de atención y canalización de quejas y denuncias
Centro de Salud doctor Manuel Márquez Escobedo
Joaquín Pardavé 10
Col. Hogar y Redención
01450, México, D. F.
Teléfono: 55 39 44 84

Fiscalía para delitos sexuales
Av. Coyoacán 1635 PB
Col. del Valle
13100, México, D. F.
Teléfono: 52 00 92 60

Agencias Especializadas en Delitos Sexuales
Delegación Miguel Hidalgo 56 25 82 40
Delegación Venustiano Carranza 56 25 77 81
Delegación Coyoacán 56 25 93 93 / 56 25 93 72
Delegación Gustavo A. Madero 56 25 80 93

Fiscalía para menores
Fray Servando Teresa de Mier 32, 3er. piso
Col. Centro
06080, México, D. F.
Teléfono: 51 30 86 94

Asociación para el Desarrollo Integral de Personas
Violadas, A. C. (ADIVAC)
Pitágoras 842
Col. Narvarte
03020, México, D. F.
Teléfono: 56 82 79 69
Fax: 55 43 47 00

Secretaría de Gobierno de la Ciudad de México
Delegación Álvaro Obregón 53 41 44 29 / 53 41 11 00
Delegación Azcapotzalco 53 19 98 73
Delegación Benito Juárez 56 72 75 23
Delegación Coyoacán 56 58 70 60 / 56 58 51 80
Delegación Cuajimalpa 58 12 14 14
Delegación Gustavo A. Madero 57 81 02 42 / 57 81 43 39
53 19 98 73
Delegación Iztacalco 56 33 99 99
Delegación Iztapalapa 56 85 25 46
Delegación Magdalena Contreras 55 95 92 47
Delegación Miguel Hidalgo 52 72 79 66 / 55 15 17 39
55 16 39 73
Delegación Milpa Alta 58 44 07 89 al 93, extensión 242
Delegación Tláhuac 58 42 84 48
Delegación Tlalpan 55 73 21 96 / 55 13 59 85
Delegación Venustiano Carranza 57 64 23 67
Delegación Xochimilco 56 75 11 88 / 56 76 96 12

Centros de Atención a la Violencia Intrafamiliar de la PGJDF (CAVI)
Dr. Carmona y Valle 54, 1er. piso
Col. Doctores
06720, México, D.F.
Teléfonos: 52 42 62 46 al 48
Atención: lunes a viernes de 9:00 a 20:00 horas

Fray Servando Teresa de Mier 32, 1er. piso
Col. Centro
06010, México, D.F.
Teléfonos: 56 25 96 32 al 35
Atención: sábados, domingos y días festivos de 9:00
a 20:00 horas

Asociación Mexicana contra la Violencia hacia las Mujeres (Covac)
Asesoría legal, atención psicológica y cursos diversos
Mitla 145
Col. Narvarte
03020 México, D. F.
Teléfonos: 55 19 31 45 – 55 38 98 01

Atenor Salas 113-3
Col. Narvarte
11850, México, D.F.
Teléfono: 54 40 13 42

Defensoras Populares

Luis G. Vyeira 23-3
Col. San Miguel Chapultepec
11580, México, D. F.
Teléfono: 55 63 78 15

Centro de Atención Psicológica para Mamás

Av. Coyoacán 1012
Col. Del Valle
03100, México, D. F.
Teléfono: 55 75 09 72

Colectivo de Hombres por Relaciones Igualitarias (Coriac)

Diego Arenas Guzmán 189
Col. Iztaccíhuatl
03520, México, D. F.
Teléfono: 56 96 34 98

Programa de Atención a Víctimas y Sobrevivientes de Agresión Sexual (Paivsas)

Facultad de Psicología de la UNAM
Teléfono: 56 22 22 54

Instituto Latinoamericano de Estudios de la Familia (ILEF)

Av. México 191
Col. del Carmen Coyoacán
04100, México, D. F.
Teléfonos: 56 59 05 04 / 55 54 56 11

Instituto Personas

Atención psiquiátrica y psicológica de niños, adolescentes
y adultos; terapia familiar y de pareja
Capuchinas 10-104
Col. San José Insurgentes
03900, México, D. F.
Teléfonos: 56 15 01 73 / 56 11 55 20

Centro Mexicano de Atención a la Violencia Intrafamiliar y Sexual (Cemavise)

Asesoría psicológica, jurídica, social y pedagógica; atención
a víctimas de violencia individual, de pareja, familiar
y de grupo
Andrea del Sarto 2
Col. Nonoalco Mixcoac
03700, México, D. F.
Teléfonos: 55 47 53 50 / 55 47 61 27

Grupo de Familias Al-Anon

Grupos de autoayuda para familiares de personas que padecen
alcoholismo
Río Guadalquivir 83, 20vo. piso
Col. Cuauhtémoc
06500, México, D. F.
Teléfonos: 52082170 / 52083070
Atención: lunes, jueves y viernes de 18:00 a 20:00 horas

Asociación Mexicana de Psicoterapia Analítica de Grupo (AMPAG)
Psicoterapia psicoanalítica en grupo, psicoterapia individual, en familia o por grupo
General Molinos del Campo 64
Col. San Miguel Chapultepec
11850, México, D. F.
Teléfonos: 55 15 10 41 / 52 73 74 01

Salud Integral para la Mujer (SIPAM)
Asesoría legal y atención psicológica
Vista Hermosa 95 bis
Col. Portales
03300, México, D. F.
Teléfonos: 55 39 96 74 / 55 39 96 75 / 55 39 96 93

Centro de Apoyo a Mujeres Trabajadoras
Asesoría legal y atención psicológica.
Coatapec 1-4, 20vo. piso
Col. Roma
06760 México, D. F.
Teléfono: 55 59 47 52

Centro de Apoyo a la Mujer "Margarita Magón"
Asesoría legal, atención psicológica y médica
Dr. Navarro esquina Dr. Lucio
Edificio Centauro, departamento 204
Col. Doctores
06720, México, D. F.
Teléfono: 55 88 81 81

Centro de Atención a la Mujer (CAM)

Atención psicoterapéutica y médica; asesoría legal; trabajo social, y bolsa de trabajo (servicio gratuito)
Av. Toltecas 15
Col. San Javier
54030, Tlalnepantla, Estado de México
Teléfono: 55 65 22 66

Red de Grupos para la Salud de la Mujer y el Niño, A. C. (Regsamuni)

Educación en salud; asesoría sobre sexualidad; nutrición; medicina, herbolaria y lactancia
Av. Revolución 1133–3
Col. Mixcoac
03910, México, D. F.
Teléfono: 55 93 53 36

Consejo para la Integración de la Mujer (CIM)

Asesoría psicológica y jurídica
Puente de Alvarado 72, 2o. piso
Col. Tabacalera
06030, México, D. F.
Teléfonos: 55 35 52 70 / 55 35 44 22

Centro de Terapia de Apoyo a Víctimas de Delitos Sexuales (CTA)

Pestalozzi 1115
Col. del Valle
03100, México, D. F.
Teléfonos: 52 00 96 32 / 52 00 96 33

En otros estados de la república mexicana

Cabe señalar que en los estados donde existe el servicio telefónico **Locatel**, éste puede asesorar acerca de los centros de atención más cercanos a su localidad.

Baja California

Coordinación de Programas e Investigación
Grupo Feminista Alaide Foppa, A. C.
Río Santa María 3651
Fraccionamiento Bugambilias
Mexicali, Baja California
Teléfonos: 61 13 92 / 61 79 62

Chiapas

Grupo de Mujeres de San Cristóbal de las Casas
Calle Rivera esquina Surinam
Barrio de Tlaxcala
29210, San Cristóbal de las Casas, Chiapas
Teléfonos: 8 43 04 / 8 65 28 / 8 56 70

Chihuahua

Casa Amiga-Centro de Crisis
Perú Norte 878
Ciudad Juárez, Chihuahua
Teléfono: 6 15 38 50

Centro de Atención a la Mujer Trabajadora
Av. Águilas y G. Washington
Col. Colinas del Sur
31130, Chihuahua, Chihuahua
Teléfono: 21 38 08

Estado de México
Centro de Atención a la Violencia Intrafamiliar y Sexual
San Pedro Chimalhuacán 58 52 40 21
Ecatepec de Morelos 58 82 45 55
Tlanepantla 55 65 36 07
Toluca 15 03 88 / 14 83 44
Naucalpan 55 60 54 41 / 55 76 36 12
San Juan Izhuatepec 57 14 58 98
Nezahualcóyotl 57 42 54 14
Texcoco 4 72 25

Jalisco
Fundación Cenavid
Centro de Resolución de Conflictos, institución de asistencia
privada
Hidalgo 2375-2 A
44680, Guadalajara, Jalisco
Teléfono: 36 15 38 82

Nuevo León

Centro de Atención a Víctimas de Delitos (Cavide)
Unidad desconcentrada de la Secretaría General de Gobierno
Jardín de San Jerónimo 111
Col. San Jerónimo
64640, Monterrey, Nuevo León
Teléfono: 3 48 23 18
Línea de emergencia: 3 33 10 50

Veracruz

Colectivo Feminista de Xalapa, A. C.
Av. Mártires 28 de agosto 430
Col. Ferrer Guardia
91000, Xalapa, Veracruz
Teléfono: 14 31 08

Centros de atención
de alcoholismo en México

Alcohólicos Anónimos, A. C.
Morelos Ote. 133
55000, México, D. F.
Teléfono: 57 87 28 36

Oficina Intergrupal de Alcohólicos Anónimos
Tulyehualco 5548-10
13000, México, D. F.
Teléfono: 58 42 17 87

Grupos 24 Horas
de Alcohólicos Anónimos
(ordenados alfabéticamente por estados)

GRUPO 24 HORAS AGUASCALIENTES
Álvaro Obregón 331, 1er. piso
Aguascalientes, Aguascalientes

GRUPO 24 HORAS MONCLOVA
Hidalgo 325 Altos, frente a Benavides Grande
Monclova, Coahuila
Teléfono: 3 30 45

GRUPO 24 HORAS SALTILLO
Juárez 885 Oriente
Saltillo, Coahuila
Teléfono: 2 03 29

GRUPO 24 HORAS ALAMEDA
Av. Juárez 180 Oriente
Torreón, Coahuila
Teléfono: 16 77 56

GRUPO 24 HORAS CENTRAL
Falcón 435 Sur
Torreón, Coahuila
Teléfono: 12 29 69

GRUPO 24 HORAS ENERO 74
Av. Bravo 1044 Ote.
Torreón, Coahuila
Teléfono: 17 36 78

GRUPO 24 HORAS INDEPENDENCIA
Calle Acuña 63 Norte
Torreón, Coahuila
Teléfonos: 12 45 99 / 16 58 30

GRUPO 24 HORAS LAGUNA 82
Calle Acuña 425 Sur
Torreón, Coahuila
Teléfono: 12 24 00

GRUPO 24 HORAS ORIENTE
Av. Juárez 3315 Oriente
Torreón, Coahuila
Teléfono: 13 76 46

GRUPO 24 HORAS TORREÓN
Ocampo 451 Oriente
Torreón, Coahuila
Teléfonos: 13 38 05 / 13 25 47

GRUPO 24 HORAS COLIMA
Av. España 289
Colima, Colima
Teléfono: 2 91 29

GRUPO 24 HORAS CHIHUAHUA
Privada de J. Eligio Muñoz 2310
Col. Santo Niño
Chihuahua, Chihuahua
Teléfono: 13 62 89

GRUPO 24 HORAS CIUDAD JUÁREZ
Av.16 de Septiembre 1829
Ciudad Juárez, Chihuahua
Teléfono: 14 28 25

GRUPO 24 HORAS FRONTERA
Calle Gabino Barreda 1378 Sur esquina Héroes de Nacozari
Ciudad Juárez, Chihuahua
Teléfono: 14 08 95

GRUPO 24 HORAS MARZO 83
Porfirio Díaz 1011, esquina Niños Héroes
Col. Ex Hipódromo
Ciudad Juárez, Chihuahua
Teléfono: 13 90 98

GRUPO 24 HORAS PASO DEL NORTE

Arteaga 595 Sur esquina Manuel Acuña
Barrio Alto
Ciudad Juárez, Chihuahua
Teléfono: 12 25 10

GRUPO 24 HORAS AMPLIACIÓN

Unión 53
Col. Escandón
11800, México, D. F.
Teléfonos: 55 15 15 28 / 55 15 23 20

GRUPO 24 HORAS ATOCPAN

Moctezuma 1 Letra A
San Pedro Atocpan
México, D. F.
Teléfono: 58 44 20 43

GRUPO 24 HORAS COYOACÁN

Calzada de Tlalpan 2897
Col. Reloj
México, D. F.
Teléfono: 56 77 11 65

GRUPO 24 HORAS CUAUHTÉMOC

Río Danubio 39
Col. Cuauhtémoc
06500, México, D. F.
Teléfonos: 55 14 03 32 / 55 25 03 48

GRUPO 24 HORAS CUAUTEPEC

Calle Apango 20
Barrio Alto Cuautepec
07100, México, D. F.

GRUPO 24 HORAS FEDERAL

Suprema Corte de Justicia 214 esquina Salubridad
Col. Federal
México, D. F.
Teléfono: 55 71 71 20

GRUPO 24 HORAS HÉROES

Prolongación Calle 5 de Febrero 1113 esquina Palermo
Col. Américas Unidas
03610, México, D. F.
Teléfonos: 55 79 26 25 / 55 90 93 03 / 56 74 25 80
56 72 46 97

GRUPO 24 HORAS IRRIGACIÓN

Presa Rodríguez 42
Col. Irrigación
México, D. F.
Teléfono: 53 95 17 98

GRUPO 24 HORAS JÓVENES AA

Protasio Tagle 107
Col. San Miguel Chapultepec
11850, México, D. F.
Teléfono: 55 15 10 96

GRUPO 24 HORAS JÓVENES "FUENTE DE VIDA"

Mirlo 52
Col. EL Rosedal Coyoacán
México, D. F.

GRUPO 24 HORAS LINDAVISTA

Calle 605-403
Col. Unidad Aragón
México, D. F.
Teléfono: 57 96 30 64

GRUPO 24 HORAS MATRIZ

Zamora 159
Col. Condesa
06140, México, D. F.
Teléfonos: 52 86 15 76 / 52 86 15 93 / 52 86 20 46

GRUPO 24 HORAS SAN MATEO

Allende 42
San Mateo Tlaltenango
Cuajimalpa, D. F.
Teléfono: 58 12 29 44

GRUPO 24 HORAS TLALPAN

Berlín 28
Col. Portales
03300, México, D. F.
Teléfono: 55 39 90 47

GRUPO 24 HORAS XOLA

Eje 4 Sur Napoleón 44
Col. Moderna
México, D. F.

GRUPO 24 HORAS ZARAGOZA

Calzada Zaragoza 1065
Col. Oriental
México, D. F.
Teléfono: 57 63 99 36

GRUPO 24 HORAS 1° DE MAYO

Juárez 113 Norte
Durango, Durango
Teléfono: 2 62 18

GRUPO 24 HORAS GÓMEZ PALACIO

Felipe Ángeles 203 Oriente
Gómez Palacio, Durango
Teléfono: 14 60 38

GRUPO 24 HORAS UNIDAD

Francisco I. Madero 268 Sur
Gómez Palacio, Durango
Teléfono: 1 48 40 92

GRUPO 24 HORAS TLAHUALILO

Avenida Primero de Mayo 126
Tlahualilo, Durango

GRUPO 24 HORAS ORIENTAL 85

Pirules 101, por Av. Pantitlán
Col. La Perla
Ciudad Netzahualcóyotl, Estado de México

GRUPO 24 HORAS SAN CRISTÓBAL

Domicilio conocido, a cinco minutos de La Maquinita
San Cristóbal Huichochitlán, Estado de México

GRUPO 24 HORAS SANTO TOMÁS

Domicilio conocido
Santo Tomás de los Plátanos, Estado de México

GRUPO 24 HORAS ZAPATA

Pirules esquina Tierra y Libertad
Col. Emiliano Zapata
Municipio de Chicoloapan
Km 27 de la carretera a Texcoco, Estado de México

GRUPO 24 HORAS TLANEPANTLA

Hidalgo 2 esquina 2da. Cerrada de Hidalgo
Col. Francisco Villa
Tlanepantla, Estado de México

GRUPO 24 HORAS TOLUCA

Lerma 708
Col. Sánchez
Toluca, Estado de México
Teléfono: 4 71 76

GRUPO 24 HORAS LA QUEBRADA
Manuel Acuña 502, esquina Nuevo León
Col. Progreso
Acapulco, Guerrero
Teléfono: 6 12 83

GRUPO 24 HORAS CARACOL
Planta Hidroeléctrica El Caracol
Caracol, Guerrero

GRUPO 24 HORAS GUERRERO
Francisco I. Madero 96
Iguala, Guerrero
Teléfono: 2 24 24

GRUPO 24 HORAS AXIXINTLA
Domicilio conocido
Taxco, Guerrero

GRUPO 24 HORAS LA CAÑADA
Domicilio conocido
Taxco, Guerrero

GRUPO 24 HORAS QUINTO PASO
Miguel Hidalgo 27
Taxco, Guerrero
Teléfono: 2 32 72

GRUPO 24 HORAS SUPERACIÓN
Av. John F. Kennedy 62
Taxco, Guerrero

GRUPO 24 HORAS EL CALVARIO
Domicilio conocido
Tepecuacuilco, Guerrero

GRUPO 24 HORAS ZACACOYUCA
Domicilio conocido
Zacacoyuca, Guerrero

GRUPO 24 HORAS TIZAYUCA
Av. Juárez 28
Tizayuca, Hidalgo
Teléfono: 6 23 49

GRUPO 24 HORAS TULA
Toltecas 6
Tula de Allende, Hidalgo
Teléfono: 2 06 17

GRUPO 24 HORAS CIUDAD GUZMÁN
Moctezuma 96
Ciudad Guzmán, Jalisco
Teléfono: 2 60 19

GRUPO 24 HORAS GUADALAJARA
González Ortega 89 esquina Independencia
Sector Hidalgo
Guadalajara, Jalisco
Teléfonos: 14 86 79 / 13 89 93

GRUPO 24 HORAS JALISCO
Jorge Delorme y Campos 261
Col. San Andrés
Guadalajara, Jalisco
Teléfono: 55 29 56

GRUPO 24 HORAS PERLA DE OCCIDENTE
Manuel Mena s/n entre Jesús Reyes Heroles y Cayetano
Esteva
Col. Polanco
Guadalajara, Jalisco
Teléfono: 17 24 35

GRUPO 24 HORAS AMPLIACIÓN PUERTO VALLARTA
Aguacate 563
Col. Alta Vista
Apartado Postal 650
Puerto Vallarta, Jalisco
Teléfono: 2 57 40

GRUPO 24 HORAS PUERTO VALLARTA
Guatemala 508
Col. 5 de Diciembre
Puerto Vallarta, Jalisco
Teléfono: 2 55 88

GRUPO 24 HORAS TEPATITLÁN
Manuel Doblado 198
Tepatitlán, Jalisco
Teléfono: 2 38 43

GRUPO 24 HORAS ZAPOPAN
Calle Santa Martha 168-A
Col. Santa Margarita
Zapopan, Jalisco
Teléfono: 56 01 30

GRUPO 24 HORAS MORELIA
Privada de Bartolomé de las Casas 4
Jardín de la Columíta
Morelia, Michoacán
Teléfono: 2 93 23

GRUPO 24 HORAS SULTANA DEL NORTE
Matamoros 1002 esquina América
Monterrey, Nuevo León
Teléfono: 4 49 821

GRUPO 24 HORAS LOMA BONITA
Guerrero 40
Loma Bonita, Oaxaca
Teléfono: 2 10 52

GRUPO 24 HORAS IXHUATÁN
Justo Sierra e Independencia
San Francisco Ixhuatán, Oaxaca

GRUPO 24 HORAS 4 DE OCTUBRE
Domicilio conocido
Camarón Salsipuedes
Tuxtepec, Oaxaca

GRUPO 24 HORAS INDEPENDENCIA
Av. Libertad 696
Tuxtepec, Oaxaca
Teléfono: 5 14 46

GRUPO 24 HORAS SAN JUAN BAUTISTA
Sebastián Ortiz 570
Tuxtepec, Oaxaca
Teléfono: 5 06 77

GRUPO 24 HORAS TUXTEPEC
Av. 5 de Mayo 351-A
Tuxtepec, Oaxaca
Teléfono: 5 16 63

GRUPO 24 HORAS PUEBLA

10 Oriente 407
Col. Centro
Puebla, Puebla

GRUPO 24 HORAS TEHUACÁN

Calle 6 Sur 413
Tehuacán, Puebla
Teléfono: 2 24 57

GRUPO 24 HORAS SONORA

T. López del Castillo 31 entre Tabasco y Campeche
Col. Olivares
Hermosillo, Sonora

GRUPO 24 HORAS TLAXCALA

Privada San Miguel 6
Col. López Mateos
Tlaxcala, Tlaxcala
Teléfono: 2 23 79

GRUPO 24 HORAS CARDEL

Independencia 74
Ciudad Cardel, Veracruz
Teléfono: 2 07 16

GRUPO 24 HORAS ISLA

Raúl Sandoval 15
Ciudad Isla, Veracruz
Teléfono: 4 04 92

GRUPO 24 HORAS CIUDAD MENDOZA
16 de Septiembre 606 entre Hidalgo y Morelos
Ciudad Mendoza, Veracruz

GRUPO 24 HORAS COATZACOALCOS
Boulevard John Spark 201 esquina Paseo Miguel Alemán
Coatzacoalcos, Veracruz

GRUPO 24 HORAS CIUDAD LERDO
Ocampo 112, frente al IMSS
Lerdo de Tejada, Veracruz
Teléfono: 4 05 79

GRUPO 24 HORAS MARTÍNEZ DE LA TORRE
Guerrero y Belli
Martínez de la Torre, Veracruz
Teléfono: 4 29 90

GRUPO 24 HORAS MISANTLA
Hidalgo 137
Misantla, Veracruz
Teléfono: 3 01 43

GRUPO 24 HORAS BILL Y BOB
Prolongación del Norte 11-130
Col. Unión Obrera
Orizaba, Veracruz
Teléfono: 5 95 45

GRUPO 24 HORAS LIBERTAD

Poniente 20 244, entre Calzada Miguel Alemán y Norte 5-B
Orizaba, Veracruz
Teléfono: 5 47 21

GRUPO 24 HORAS ORIENTE

Sur 7-341
Orizaba, Veracruz
Teléfono: 4 10 51

GRUPO 24 HORAS PLAYA VICENTE

Hidalgo 315
Playa Vicente, Veracruz
Teléfono: 1 01 75

GRUPO 24 HORAS SAN ANDRÉS

Boulevard 5 de Febrero s/n
San Andrés Tuxtla, Veracruz
Teléfono: 2 20 92

GRUPO 24 HORAS SOTAVENTO

Av. Dos de Abril 216
Tierra Blanca, Veracruz

GRUPO 24 HORAS TIERRA BLANCA

Constitución 318
Tierra Blanca, Veracruz
Teléfono: 3 09 66

GRUPO 24 HORAS TRES VALLES
Av. Hidalgo 101
Tres Valles, Veracruz
Teléfono: 5 07 57

GRUPO 24 HORAS VILLA RICA
Circunvalación 3778 entre Cuba y Colombia
Veracruz, Veracruz
Teléfono: 34 20 73

GRUPO 24 HORAS BOCA DEL RÍO
Lázaro Cárdenas 13
Frente a Casas TAMSA
Veracruz, Veracruz

GRUPO 24 HORAS LA REDONDA
Allende 1 bis
Veracruz, Veracruz
Teléfono: 34 88 02

GRUPO 24 HORAS VERACRUZ
González Pagés 707
Veracruz, Veracruz
Teléfono: 3 22 751

GRUPO 24 HORAS YANGA
Calle 8-12
Yanga, Veracruz
Teléfono: 8 82 10

GRUPO 24 HORAS FRESNILLO
Av. Juárez 411-A
Fresnillo, Zacatecas

GRUPO 24 HORAS PEDREGOSO
Domicilio conocido
Pedregoso, Zacatecas
Informes al teléfono: 4 64 98 en Aguascalientes,
Aguascalientes

GRUPO 24 HORAS ZACATECAS
Plazuela de García 1324
Domicilio conocido
Zacatecas, Zacatecas
Teléfono: 2 73 75

Granjas 24 Horas
de Alcohólicos Anónimos
(ordenados alfabéticamente por estados)

GRANJA 24 HORAS TORREÓN
Km 4, tramo carretera Matamoros-Zapata
27440, Municipio de Matamoros, Coahuila

GRANJA 24 HORAS INDÉ
Domicilio conocido
35500, Indé, Durango

GRANJA, COLORINES
Domicilio conocido
51230 Colorines, Estado de México

GRANJAS JÓVENES AA
Reforma 26
56200, Tulantongo, Estado de México

GRANJA RANCHO VIEJO
Domicilio conocido
Taxco, Guerrero

GRANJA TRES MARÍAS
Km 54.5 de la carretera federal a Cuernavaca, Morelos

GRANJA 24 HORAS TUXTEPEC
Domicilio conocido
Tuxtepec, Oaxaca

GRANJA ACULTZINGO
Domicilio conocido
94760, Acultzingo, Veracruz
Teléfono: 5 15 62 81

GRANJA 24 HORAS ORIENTE
Cumbre de Cuauhtlapan
Municipio de Ixtaczoquitlán
Carretera federal Orizaba-Córdoba, frente a la Fábrica
de cemento "Veracruz"
Veracruz

GRANJA 24 HORAS LORETO
Domicilio conocido
Teléfono: 2 01 09

Grupos 24 Horas
de Jóvenes AA en México
(ordenados alfabéticamente por estados)

JÓVENES AGUASCALIENTES AA 24 HORAS
Jalisco 100
Col. Centro
20000, Aguascalientes, Aguascalientes

JÓVENES ALEGRÍA AA 24 HORAS
Calle Alegría 115
20000, Aguascalientes, Aguascalientes
Teléfono: 18 05 84

JÓVENES ENSENADA AA 24 HORAS
Reyerson 924 entre calle 9 y calle 10
Ensenada, Baja California Norte
Teléfono: 8 82 10

JÓVENES TECOMÁN AA 24 HORAS
Abasolo 383
Col. Centro
Tecomán, Colima
Teléfono: 4 04 20

JÓVENES TUXTLA GUTIÉRREZ AA 24 HORAS

Primera de Oriente Norte 942
29000, Tuxtla Gutiérrez, Chiapas

JÓVENES CHIHUAHUA AA 24 HORAS

Calle 22-4202
Col. Bella Vista
Chihuahua, Chihuahua

JÓVENES ARAGÓN AA 24 HORAS

Av. 469-80, 7a. Sección
Col. Unidad San Juan de Aragón
07920, México, D. F.
Teléfono: 57 99 40 55

JÓVENES AZCAPOTZALCO AA 24 HORAS

Calle Campo Sábana 3
Col. Ampliación Petrolera
02480, México, D. F.
Teléfono: 53 52 43 49

JÓVENES AA 24 HORAS

Oficina Central
Protasio Tagle 107
Col. San Miguel Chapultepec
11850, México, D. F.
Teléfonos: 55 15 10 96 – 52 77 78 06

JÓVENES CUAJIMALPA AA 24 HORAS

Av. México 107
Col. Cuajimalpa
05000, México, D. F.
Teléfono: 58 13 76 63

JÓVENES DEL VALLE AA 24 HORAS

Alpes 14
Col. Alpes
01010, México, D. F.
Teléfono: 56 80 48 87

JÓVENES FUENTE DE VIDA AA 24 HORAS

Quetzal 28
Col. El Rosedal Coyoacán
04330, México, D. F.
Teléfono: 56 89 95 46

JÓVENES MIXCOAC AA 24 HORAS

Rosa Blanca 48
Col. Alfonso XIII
01460, México, D. F.
Teléfono: 56 11 80 98

JÓVENES SAN MATEO AA 24 HORAS

Porfirio Díaz 16
Col. San Mateo Tlaltenango
05600, Cuajimalpa, México, D. F.
Teléfono: 81 35 53

JÓVENES VALLEJO AA 24 HORAS
Calle López Mateos, Manzana 75, Lote 1, esquina M.
Altamirano
Col. Zona Escolar
07870, México, D. F.

JÓVENES PARQUE AA 24 HORAS
Paseo de los Virreyes s/n esquina Veracruzdines
Col. Parque Residencial Coacalco
55700, Coacalco, Estado de México

JÓVENES INDEPENDENCIA AA 24 HORAS
Calle La Tolva s/n esquina Av. de los Maestros
Col. Capulín Soledad la Tolva
53830, Naucalpan de Juárez, Estado de México

JÓVENES TULANTONGO AA 24 HORAS
Reforma 26
Tulantongo
56200, Texcoco, Estado de México
Teléfono: 4 80 65

JÓVENES LEÓN AA 24 HORAS
Yurécuaro 513
Col. Michoacán
87240, León, Guanajuato
Teléfono: 16 86 75

JÓVENES ZIHUA AA 24 HORAS

Av. Principal s/n
Col. Agua de Correa
Zihuatanejo, Guerrero

JÓVENES AUTLÁN AA 24 HORAS

Escobedo 108
48900, Autián de Navarro, Jalisco

JÓVENES GUADALAJARA AA 24 HORAS

Calle Morelos 882
Sector Hidalgo
44100, Guadalajara, Jalisco
Teléfonos: 36 25 05 42 / 36 35 49 00

JÓVENES JALISCO AA 24 HORAS

Calle Angulo 254, letra Z, sector Hidalgo
44100, Guadalajara, Jalisco
Teléfono: 36 13 48 29

JÓVENES PROGRESO AA 24 HORAS

Circunvalación Oblatos 1388
Col. Postes Cuates
Sector Libertad
44700, Guadalajara, Jalisco
Teléfono: 36 51 62 83

JÓVENES PARAÍSO AA 24 HORAS
Av. de la Pintura 245
Col. Miravalle
44970, Guadalajara, Jalisco

JÓVENES UNIÓN AA 24 HORAS
Isla Tasmania 2045
Fraccionamiento Jardines del Sur
Guadalajara, Jalisco
Teléfono: 36 45 39 77

JÓVENES AMANECER SAYULA AA 24 HORAS
Juárez 173
Sayula, Jalisco
Teléfono: 22 08 71

JÓVENES OCCIDENTE AA 24 HORAS
Tenochtitlán 50
Col. Ciudad del Sol
Zapopan, Jalisco
Teléfono: 36 31 82 73

JÓVENES MORELIA AA 24 HORAS
Revolución 484
Morelia, Michoacán
Teléfono: 2 47 28

JÓVENES BALSAS AA 24 HORAS
Piñones 11
Col. Ejército Mexicano
Lázaro Cárdenas, Michoacán

JÓVENES LÁZARO CÁRDENAS AA 24 HORAS
Venustiano Carranza 36
Col. Centro
Lázaro Cárdenas, Michoacán

JÓVENES ZACAPU AA 24 HORAS
Madero Sur 470
58600, Zacapu, Michoacán
Teléfono: 3 07 40

JÓVENES ZAMORA AA 24 HORAS
Héroes de Nacozari 338
Col. El Duero
Zamora, Michoacán

JÓVENES PARQUE AA 24 HORAS
Aile 35
Fraccionamiento Villas del Descanso
62550, Jiutepec, Morelos
Teléfono: 28 76 91

JÓVENES MAZATLÁN AA 24 HORAS
Calle Parada 2018, esquina Los Gutiérrez Nájera
82000, Mazatlán, Sinaloa

JÓVENES VALLE HERMOSO AA 24 HORAS

Privada Galeana, entre Tamaulipas e Hidalgo, interior
del Mercado Juárez, frente a la Plaza Municipal
87500, Valle Hermoso, Tamaulipas

JÓVENES MÉRIDA AA 24 HORAS

Calle 66-78-DX41
97000, Mérida, Yucatán

Bibliografía

Bass, Ellen y Laura Davis, *El coraje de sanar*, Ediciones Urano, 1995.

Chávez Asencio, Manuel F. y Julio A. Hernández Barros, *La violencia intrafamiliar en la legislación mexicana*, México, Editorial Porrúa, 1999.

Corkille Briggs, Dorothy, *El niño feliz. Su clave psicológica.*

DIF/UNICEF, *Voces de la infancia trabajadora en la ciudad de México*, México, Dessarrollo Integral de la Familia, 1997.

Doubleday Comp., Inc. Nueva York, 1970

Forward, Susan, *Cuando el amor es odio,* México, Grijalbo, 1993.

Forward, Susan y Buck Craig, *Toxic Parents*, Bantam Books, 1989.

Fromm, Erich, *Anatomía de la destructividad humana*, México, Siglo XXI Editores, 1975.

——————, *Del tener al ser*, Barcelona, Paidós, 1989.

——————, *El miedo a la libertad*, Barcelona, Paidós, 1947.

Irigoyen, Marie-France, *El acoso moral,* Buenos Aires, Paidós, 1999.

J. Rodríguez Lázaro, *Martin Luther King*, España, Astoreca, 1982.

Katherine, Anne, *Anatomy of a Food Adiction*, California, Gürze, 1991.

Marañón, Gregorio, *Tiberio: Historia de un resentimiento*, España, Espasa Calpe, 1998.

Morrison, Andrew R. y María Loreto Biehi, *El costo del silencio*, Banco Interamericano de Desarrollo, 1999.

Procuraduría General de la República, *Revista mexicana de justicia Nueva Época II*, México, 2000.

Lecturas recomendadas

Balming, Martha, *Autosabotaje*, Planeta, México.

Bass, Helen y Laura Davis, *El coraje de sanar,* Urano, México.

Beatlie, Melody, *Guía de los doce pasos para codependientes*, Promexa, México.

_____, *Más allá de la codependencia*, Promexa, México.

_____, *Ya no seas codependiente*, Promexa, México.

Bernal, Alfonso, *Errores en la crianza de los niños,* Ediciones Caballito.

Black, Claudia, *No hablar, no confiar, no sentir, los efectos del alcoholismo sobre los hijos y cómo superarlos,* Árbol Editorial, México, 1997.

Branden, Nathaniel, *Como mejorar su autoestima*, Paidós, México.

Bucay, Jorge, *Amarte con los ojos abiertos*, Planeta, México.

Castañeda, Marina, *El machismo invisible*, Paidós, México.

Corkille Dorothy, *El niño feliz*, Gedisa, México.

Dowling, Collete, *El complejo de cenicienta*, Editorial Grijalbo, México.

Forward, Susan y Craig Buck, *Padres que odian a sus hijos,* Editorial Grijalbo, México, 1990.

Forward, Susan, *Cuando el amor es odio,* México, Editorial Grijalbo, 1993.

_____, *No se obsesione con el amor*, Editorial Grijalbo, México.

Fromm, Erich, *El arte de amar*, Barcelona, Paidós, México.

_____, *El miedo a la libertad*, Barcelona, Paidós, 1947.

Grupos de familia Al-Anon, *Cómo ayuda Al-anon a familiares y amigos de alcohólicos*, 1995.

Hite, Shere y Kate Coolleran, *Amantes buenos, amantes malos y otros*, Edivisión, México.

Kelly, Patricia, *Salud sexual para todos*, Editorial Grijalbo, México.

Kessel, Joseph, *Alcohólicos anónimos*, Plaza & Janés, México.

Krantzler, Mel, *Divorcio creador*, Extemporáneos El Tiempo Cambia, México.

Lammoglia, Ernesto, *Abuso sexual en la infancia*, Editorial Grijalbo, México, 1999.

_____, *Cartas al doctor Lammoglia*, Editorial Grijalbo, México, 1996.

_____, *El triángulo de dolor*, Editorial Grijalbo, México, 1995.

_____, *¿Es tu madre tu peor enemiga?*, Editorial Grijalbo, México, 1997.

_____, *Las familias alcohólicas*, Editorial Grijalbo, México, 2000.

_____, *Las máscaras de la depresión*, Editorial Grijalbo, México, 2001.

Marañón, Gregorio, *Tiberio, historia de un resentimiento*, Plaza & Janés, México.

Martínez Peniche, Roger, *La magia del perdón*, Editorial Grijalbo, México, 2002.

Norwood, Robin, *Las mujeres que aman demasiado*, Vergara, México.

Piello, Richard y C. Robert, *Abrázalos, estréchalos y luego déjalos ir*, Diana, México.

Poranden, *Respeto hacia uno mismo*, Paidós, México.

Ramírez, Antonio, *Violencia masculina en el hogar*, Pax, México.

Reig, Dionne, *Reto al cambio*, McGraw Hill.

Romo, Martha, *Córrele (prevención maltrato infantil)*, SEP.

Torres, Martha, *Violencia en casa*, Paidós, México.

Twerki, Abraham J., *El pensamiento adictivo*, Promexa, México.

Woonlman, Benjamín, *El niño frente al temor y el miedo*, Lasser Press Mexicana.